# POST
# COVID-19
# ARTS
# FUND

## ポストコロナと現代アート

### 16組のアーティストが提起するビジョン

ポストコロナ・アーツ基金 編

左右社

# はじめに

2021年11月、コロナ禍の影響が続く東京で、ある美術展が開催されました。タイトルは「『新しい成長』の提起　ポストコロナ社会を創造するアーツプロジェクト」。

参加アーティストはいずれも注目の存在ながら、それぞれ作風も、表現方法も、良い意味でバラバラな16組です。ただ、そこには2つの共通項がありました。

ひとつは、コロナ禍の影響で活動の機会を失ったかれらが、この事態に急遽設立された「ポストコロナ・アーツ基金」の支援でこの取り組みに参加したこと。もうひとつは、同基金が芸術支援だけでなく、この機にコロナ後の社会を共に考えようとのメッセージを送り、これにアーティストが応答するかたちで作品をつくりだしたことです。

そうして現れた16のアートは、いわゆる平時の表現とはやはりどこか違っていました。そして、だからこそというべきか、美術の世界をこえて、今を生きる私たちすべてに問いや想いを投げかけてくるものでした。もちろんそこには、アーティストならではの感性や創造力があります。しかし同時に、私たちと同じく、この混沌とした時代を生きる人間の息づかいが感じられるでしょう。

コロナによって変わってしまったものに、失望を越えて可能性を見出そうとする人。
コロナ禍があぶり出した、私たちが見ないふりをしてきた課題を見つめる人。
パンデミックの時代に新しい命を授かり、次の世代を皆で支えることを想う人。
コロナによっても変わらない普遍的な問いに、信念をもって向き合い続ける人。
そして、「これからの社会」を手探りで想像していく人々。

そこにはきっと、私たちや、あなたもいます。
まだ見ぬポストコロナの時代に、私たちの心や生き方は「成長」できるでしょうか。
できるとすれば、それは今までとどこが異なり、どのように可能なのでしょうか。
本書が、皆さんと一緒にその扉をひらく鍵となることを心より願っています。

ポストコロナ・アーツ基金 実行委員会

# 目次

凡例

- 本書は2021年11月13日(土)〜28日(日)に東京藝術大学大学美術館で開催された展覧会「『新しい成長』の提起 ポストコロナ社会を創造するアーツプロジェクト」(主催:ポストコロナ・アーツ基金、東京藝術大学)のコンセプトブックとして刊行された。
- 展覧会に参加したアーティストの作品データについては、作品名/制作年/素材・技法とした。ただし映像作品等の場合は時間(分)も表記した。
- インタビューや論考、対談などの文中における作品名は《》、展覧会名は「」、書籍名は『』とした。
- 作品は、《作品名》(制作年)とした。
- 展覧会は、国内の場合は「展覧会名」(会場、都市、開催年)、海外の場合は(会場、都市名、国名、開催年)とした。
- 書籍は『タイトル』(出版社、刊行年)とした。

# ポストコロナ・アーツ基金(PCAF)のあゆみ

※日付は全て日本時間(JST)基準
※世界の感染者・死者は米ジョンズ・ホプキンス大学の集計による

## 2020

### 1月

14 [WHO]中国の肺炎について新型コロナウイルスの検出を確認したと発表

### 2月

1 新型コロナが感染症法、検疫法の指定感染症となる

3 クルーズ客船ダイヤモンド・プリンセスが横浜港に入港。乗員の集団感染が発生する

11 [WHO]疾患名 COVID-19 (Corona Virus Desease-2019)と命名

27 安倍首相が全国の学校に臨時休校を要請

29 国立美術館6館が休館。以降、美術館の休館や展覧会・芸術祭の延期・中止相次ぐ

### 3月

11 [WHO]新型コロナ拡大をパンデミック(世界的大流行)と表明。以降も米、独、仏などで都市封鎖や外出禁止令が相次ぐ



### 4月

1 安倍首相が国内全戸へ布マスク2枚の配布を表明

7 緊急事態宣言を発出。東京、神奈川、埼玉、千葉、大阪、兵庫、福岡が対象(5月6日まで。後に5月末まで延長)

11 第1波のピーク(全国の新規感染者743人)

20 政府、国民を対象にした特別定額給付金の支給を決定

下旬 ポストコロナ・アーツ基金の構想始まる

### 5月

1 「持続化給付金」の受付開始

25 緊急事態宣言が全面解除に

26 京都国立近代美術館再開。前後して各館で再開が続く

### 6月

28 世界の感染者累計が1000万人を超える

### 7月

10 文化庁「文化芸術活動の継続支援事業」申請受付開始(予算約500億円)。文化芸術関係団体等の活動再開・継続への積極的取組等に必要な経費を支援

12 ポストコロナ・アーツ基金設立。実行委員(発起人)枠の寄付募集開始

28 安倍首相、持病悪化を理由に辞任の意向を表明

### 8月

7 第2波のピーク(全国の新規感染者1605人)

### 9月

16 第99代内閣総理大臣に菅義偉が就任

23 実行委員会と東京藝術大学の共同事業としての調印式

29 世界の新型コロナ死者が100万人を超える

### 10月

25 国内の感染者が累計10万人を超える(クルーズ船含む)

27 選考委員会によるアーティスト選出

### 11月

9 世界の感染者が累計5000万人を超える

### 12月

18 アーティストが決定し、キックオフミーティングを開催。PCAF実行委員(一般会員)の募集開始

25 英国で広がる変異種の感染者を国内で初めて確認

## 2021

### 1月

7 緊急事態宣言(2回目)が東京、埼玉、千葉、

神奈川にて発出(2月7日まで)。17日には他の7府県でも発出

8　第3波のピーク(全国の新規感染者8045人)

27　世界の感染者が累計1億人を超える

### 2月

17　医療従事者を対象にワクチン接種が始まる

### 3月

3　プロジェクト(作品)案の公開開始。活動の充実化とその輪を広げる目的でクラウドファンディングも実施。約522万円が集まる。

11　東日本大震災から10年

### 4月

5　政府が「まん延防止等重点措置」を宮城県、大阪府、兵庫県に初適用。その後、対象地域をさらに広げる

12　65歳以上の高齢者を対象としたワクチン接種始まる

25　政府が4都府県を緊急事態宣言(3回目)に格上げ。

29　展覧会「『新しい成長』の提起　ポストコロナ社会を創造するアーツプロジェクト」の6月開催を発表

### 5月

8　第4波のピーク(全国の新規感染者7239人)

28　政府が緊急事態宣言および「まん延防止等重点措置」の期間延長を発表(6月20日まで)

29　PCAF展の延期を発表。再調整に入る

### 6月

20　10都道府県に発令されていた宣言が沖縄を除き解除に

### 7月

12　東京が4回目の緊急事態宣言対象に(8月22日まで)

23　東京オリンピック、延期を経て開幕(～8月8日)開会式を含めほとんどの競技が無観客で行われた

### 8月

2　神奈川や大阪など4府県を緊急事態宣言の対象に追加

18　PCAF展を11月に東京藝術大学大学美術館で開催するむね発表(またこの新会期発表後の10月8日、雨宮庸介が諸事情から不参加となったことを発表)

20　第5波のピーク(全国の新規感染者2万5852人)。緊急事態宣言の対象に京都や福岡など7府県を追加。27日にはさらに8道県が緊急事態宣言に格上げされた。

24　東京パラリンピック開幕(～9月5日)

### 9月

3　菅総理、自民党総裁選を前に辞意表明

30　緊急事態宣言、まん延防止等重点措置の全面解除

### 10月

4　岸田文雄が第100代総理大臣に就任

### 11月

1　世界の新型コロナ死者が500万人を超える

13　「『新しい成長』の提起　ポストコロナ社会を創造するアーツプロジェクト」展開幕(～18日、東京藝術大学大学美術館)

19　政府は住民税非課税世帯への10万円給付、18歳以下の子どもへの10万円相当の給付等を盛り込んだ経済対策を決定

26　[WHO]南アフリカ等で確認の新変異株をオミクロン株と命名

### 12月

1　新型コロナワクチンの3回目となる追加接種が始まる

## 2022

### 1月

9　政府が沖縄、広島、山口の3県にまん延防止等重点措置を適用。後に対象地域は最大で36都道府県に広がった

### 2月

1　第6波のピーク(全国の新規感染者10万3502人)

### 3月

13　PCAF展の映像ドキュメント『「新しい成長」の提起 ポストコロナ社会を創造するアーツプロジェクト』関係者向け上映会(アーツ千代田3331、東京)

21　まん延防止等重点措置が全面解除される

# 「ポストコロナ」について 最初に考えなければならないこと


椹木 野衣

PCAF選考委員、美術評論家、多摩美術大学教授、芸術人類学


批評家なので、まず、自分が使う言葉の問題から入りたい。世界が新型コロナウイルス感染症の闇に包まれて以降、日本でもそれ以前ならほとんど聞いたことがない語彙が世間に蔓延るようになった。思いつくまま羅列しても、「PCR検査」「飛沫感染」「新しい生活様式」などがこれにあたる。そもそもが「コロナ」からしてそうだ。東日本大震災による放射能事故の時もそうだった(「ベント」「シーベルト」「帰還困難区域」など)。このように、想定外の災害は必ず想定外の語彙をもたらす。それは、それまで使っていた語彙では救いきれない事態が生じたことによるところが大きい。だが、新しい語彙はそれまで使っていた言葉の感覚を鈍らせ、現在起きつつある事態に安易な要約的把握をもたらす恐れがある。



そういうことで言うなら、「ポストコロナ」にもまずもってそういう批評的な目を向けなければならない。これは批評家だけでなく美術家にとっても同じだ。その点で言うと、暗黙のうちに「ポストコロナ」を制作の前提にするのではなく、そもそも「ポストコロナ」と呼ばれる事態がいったいなんなのか、という桁上げされた問いを孕んでいるかどうかが肝要となる。私自身、今回の選考委員のひとりを務めた際にも、実現した展覧会を見るにあたっても、その点をもっとも重視した。

そもそも、「ポストコロナ」とはどのような意味の言葉なのだろうか。この言葉は、コロナ・パンデミックが宣言されてから、それほど間をおくことなく現れた。それからまたまもなく、今度は「ウィズコロナ」というのが使われるようになった。

「ポストコロナ」と聞いて最初に考えなければならないのは、これが「コロナが去ってからの〈後〉」を指すのか、「コロナが世界に蔓延してからの〈後〉」を指すのか、ということだ。日本語で「ポスト」と接頭語が付く際には、必ずこの曖昧さが生じる。というよりも、両者の区別を曖昧にするために「ポスト」が語られるようなところさえある。「ウィズコロナ」ということが言われるようになったのは、おそらくそのこととも関係している。もしも「ポストコロナ」が「コロナが去ってからの〈後〉」を意味するのであれば、それは明らかに時期尚早であり、当面は「コロナ」とともに共存していかなければならないのは明らかだったからだ。

しかしそれでも、コロナ・パンデミックが永遠に続くことはおそらくない。だから「ポストコロナ」について語るとき、「ウィズコロナ」だけでなく、「コロナが去ってからの

〈後〉」のことも射程に入れなければならない。この両者の微妙なすれ違いと根本的な差とを同時に考えることが必要なのだ。そしてそれは、「ポストモダン」という言葉について考えることと、ほぼ同じ領域として重なってくるように思う。

「ポストモダン」という言葉が日本で浮上し、「ポスト」という言葉が郵便ではなく「後」というニュアンスで語られるようになったときも、これとまったく同様の問題が持ち上がった。それはつまり、「ポストモダン」とは「モダンが終わったあと」なのか、それとも「モダンの延長線上」にあるのか、ということである。仮に前者を「ポストモダン」とするなら、後者は「ウィズモダン」ということになり、両者の総称を私たちは「ポストモダン」と呼んできた。そして「モダニズム」を時間軸に沿って歴史的進歩史観と重ねて考えるなら、今回のコロナ・パンデミックをもたらしたのは明らかに文明における進歩を優先するウルトラ・モダニズムなのだから、「ポストコロナ」とは、実はほぼ未解決の「ポストモダン」問題なのだということがわかるはずだ。

こうして考えたとき、「ポストコロナ」の問題とは、実際には変奏された「ポストモダン」の揺り戻しなのではないだろうか。確かにそれはネットの日常化やＡＩの台頭、ポスト・ヒューマン問題や気候変動によって「シンギュラリティ」や「人新世」といった新しい語彙を招き寄せてはいる。だが、よりラディカル（＝根源的）に考えるならば、問題の所在は「ポストモダン」の頃からほとんど変わっていない。というよりも、「ポストモダン」の問題を曖昧にしてきたからこそ、大規模原発事故も、地球次元の気候変動も、そして現在進行形のパンデミックも生じたのではなかったか。

そういうことを考えながら、私は今回の展覧会を見た。そして同時に、ここでは確かに「コロナ問題」が扱われているけれども、より根本的には、依然として「ポストモダン」の問題が扱われているのだと強く感じた。というよりも、コロナ・パンデミックによって、忘れられていた「ポストモダン」の問題が再浮上しているのだ、と言っていいかもしれない。

そして、そのことを念頭に入れるならば、「ポストコロナ」のアートは、必ずしも「コロナ」を主題として扱う必要はない。むしろ、そこに含み込まれた思考を無意識的に規定する「漠然と〈ポスト〉であること」を前面化させることこそが求められているからだ。

**さわらぎ・のい**｜1962年埼玉県秩父市生まれ。同志社大学文学部文化学科卒業。初の評論集『シミュレーショニズム』（洋泉社、1991年／増補版＝ちくま学芸文庫、2001年）から、自然災害と美術の関係を論じた『震美術論』（美術出版社、2017年）まで著書多数。企画した展覧会に「アノーマリー」（レントゲン藝術研究所、1992年）、「日本ゼロ年」（水戸芸術館、1999〜2000年）、「平成美術―うたかたと瓦礫（デブリ）1989-2019」（京都市京セラ美術館、2021年）等。日航機123便墜落事故を主題とした戯曲に「グランギニョル未来」（2014年）がある。福島第一原子力発電所事故による帰還困難区域で始まった“見に行くことができない展覧会”「Don’t Follow the Wind」では実行委員を務め、アートユニット「グランギニョル未来」で展示にも参加している。

# PCAF展覧会 MAP

## 「新しい成長」の提起　ポストコロナ社会を創造するアーツプロジェクト

New ways to grow: Artists envision a post-Covid world

**会場：**東京藝術大学大学美術館 本館展示室3・4ほか
**会期：**2021年11月13日(土)～28日(日)
**開館時間：**10：00～17：00
**休館日：**11月22日(月)
**観覧料：**無料
**主催：**ポストコロナ・アーツ基金(PCAF)実行委員会、東京藝術大学
**機材協力：**キヤノンマーケティングジャパン株式会社

---

**参加アーティスト(16組)**
青柳菜摘、池田剛介、遠藤麻衣、大和田俊、小泉明郎、SIDE CORE、サエボーグ、竹内公太、Chim↑Pom from Smappa!Group、中村裕太、西村雄輔、長谷川愛、布施琳太郎、毛利悠子、百瀬文、柳瀬安里

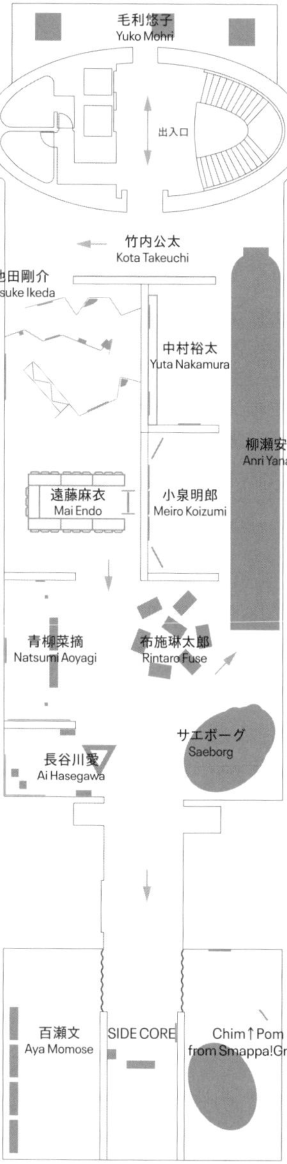


▲大学美術館本館美術館3F展示室3・4

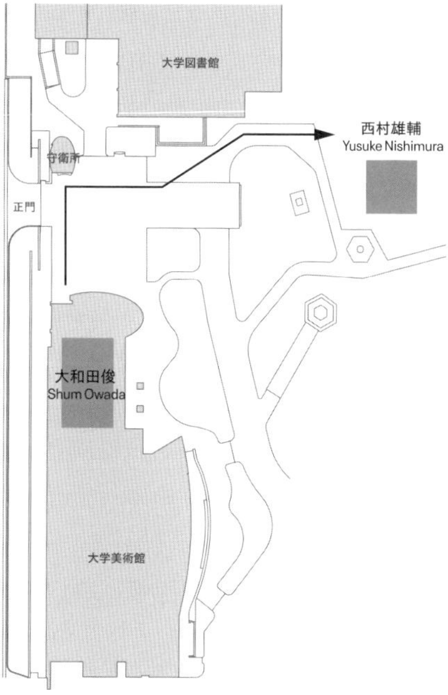


▲大学美術館本館1Fエントランスホール(大和田 俊)
美術学部グラウンド(西村雄輔)

# 参加アーティスト&
# プロジェクト

# 青柳 菜摘
# Natsumi Aoyagi

## 家で待つ君のための暦物語
## A Calendar Story for You Waiting at Home

**あおやぎ・なつみ** | 1990年東京都生まれ。ある虫や身近な人、植物、景観に至るまであらゆるものの成長過程を観察する上で、記録メディアや固有の媒体に捉われずにいかに表現することが可能か。リサーチやフィールドワークを重ねながら、作者である自身の見ているものがそのまま表れているように経験させる手段と、観者がその不可能性に気づくことを主題として取り組んでいる。近年の活動に、佐藤朋子とのオンライン・プロジェクト〈往復朗読〉(2020年～)、「オープン・スペース2019　別の見方で」展参加(NTTインターコミュニケーション・センター［ICC］、東京、2019年)、個展「冨士日記」(NADiff Gallery、東京、2016年)、「第10回 恵比寿映像祭」参加(東京都写真美術館、東京、2018年)など。また書籍に詩集『家で待つ君のための暦物語』(私家版、2021年)などがある。プラクティショナー・コレクティヴである「コ本や honkbooks」主宰。「だつお」というアーティスト名でも活動。

《家で待つ君のための暦物語》2021年
映像インスタレーション
原文（英語）：Amazon Mechanical Turk Workers／和訳：小磯洋光／プロデュース：和田信太郎／撮影：飯岡幸子／アプリ開発（Alexa）：ReeeznD／映像プログラミング：山形一生／整音：小宮知久／制作協力：佐藤朋子、村田萌菜、BRÜCKE coffee／協力：東京藝術大学大学院映像研究科、RAM Association

月日の移ろいを示す“暦”をテーマに据え、その暦が映す月々の物語を、Alexa／Amazon Mechanical Turk（略称：MTurk）が語り始める。MTurkとはAmazon.comが「機械仕掛けのトルコ人」と銘打って始めたクラウドソーシングサービスであり、18世紀に実在したオートマタ「トルコ人」が基になっている。トルコ人は自動チェス人形として発表されたが、実際はチェストの内部に人が隠れて駒を操作していた。MTurkではリクエスターが依頼をすると、あたかも機械のような速度でワーカーが応える。Turk、トルコ人にはどんな時も大勢の誰か（君）が入っているのだ。アレクサの中で物語を語る君たちの声によって、12ヶ月間の何某かの大きさを示し、捉えがたい一年間という時間を現す。

（青柳菜摘）

いるすべての問題の原因は彼女
にあると非難していました。
人だかりが老婦人を暴力から守
ろうと集まり、その若者に向
かってその振る舞いは間違って
The crowd had gathered to protect the lady from the abuse

りました。鹿
ころでリズミ
They were hopping around in rhythmic fashion all over the side of the road.

が戻って
は駐車場の
たり行って
の時きみは
We stood there at the far end of the parking lot for a good 15 minutes before he left.

But the police rece

カラオケの
れども
きみはここに
います。）きみ
金のことを
をがっかりさ
ou include that fact in the story.)

## Q. ご自身の活動と、今回の参加作品(プロジェクト)について教えてください。

私は視覚的な表現方法として映像インスタレーションを扱ったり、想像しないと目には見えない表現として小説や詩を書いています。東京に潜む小さな虫や名前も知らない植物など、ふだん見過ごしているものに気づくことで、自分の身体で経験した、映像に映らないものも作品にしたいという気持ちがあります。私はもともと絵やイラストを描いていましたが、2011年の東日本大震災に伴う原発事故で「目に見えないもの」に怯える日が始まったとき、絵に描くことではなく、すでにこの世界にある「いま」や時間をどう記録できるか考え始めました。

すぐにカメラを手にとりましたが、撮影した映像は、実際に見ていたものの一部分でしかありませんでした。視野の狭さに悲しくなった反面、映像にはその場で見ていたものとは異なる何かが映っていることに気づいたのです。あるいは、映っていないものが、映ってしまったものから呼び起こされることもあります。そこで、映像に映るものも映らないものもより多くのものをどう「記録」できるのかが課題になりました。映像とともに、絵や言葉、実物など、周縁にあるものまで展示したら、どう関係し合うのか。私の「記録」にまつわる試みはそんなふうに段々と広がってきました。

今作は私の映像作品《家の友のための暦物語》(2018年)が出発点でした。暦物語とは19世紀の欧州で始まった、カレンダーに添えられた物語です。この月に田植えをするとよい、この月にはこんな過去があったなど、季節の出来事や生活に役立つ知識を交えて綴られます。根底には人々の生活があり、後に劇作家のベルトルト・ブレヒトがこの形式を用いた話集をつくるなどの広がりも生みました。日記がその日その時の記録だとすれば、暦物語は、自分が生まれる前の世界や、未来を考えられるものです。私はそこに興味を抱き、今の時代の暦物語として前述の作品をつくりました。



今回は、自分で言葉を紡ぐのではなく、他の誰かに物語ってもらおうと考えました。Amazonのウェブサービス、Mechanical Turkでは、インターネットを通じてタスク(作業)をワーカー(人間の作業者)に依頼できます。このサービスを使い、世界各地の見知らぬ人々に「“あなた”の1月の暦物語を教えてください」と依頼していき、その後さらに「この1月の暦物語を読んで思い浮かべた“あなた”が撮った写真を送って下さい」と、あなた=You=君に投げかけました。私は12ヶ月分の暦物語それぞれから連想する場所を東京のなかから探し、その場所にEcho Show 5(Amazonのスマートディスプレイ)を置き、音声アシスタント・Alexaが物語を朗読する景色を撮影しました。少々複雑ですが、“君”としてのワーカーであり、話者としてのAlexaや、カメラやモニターといった「他者」が何段階にも渡って介入しながらつくったインスタレーションが今回の作品です。

《家で待つ君のための暦物語》という作品名は、当初コロナ禍で誰もが家から出られなかったことが影響しています。「家で待つ君」というのは少しロマンチックにも聞こえるかも知れません。昨今の芸術表現では社会性や批評性の強いものも多いですが、個人、個としての表現が、かつてのロマン主義とは違うかたちで生まれ得るのではないかと思ったのです。

作品では最終的に、自分の外側にいて、私からは見えない人々の物語を集めることになりました。意外だったのは、返ってきた物語は予想以上にコロナ禍の体験をめぐるものが多かったことです。自分が今作品をつくるとしたら、新型コロナウィルスのことを直接的には描きません。もう少し、時節的な営みが物語に入ってくると予想していました。物語だけでなく届いた写真も血中酸素飽和度を測る場面や、陽性判定を示す表示バーなど、後世に見たときも「あの時代だ」とわかるものが多く、あまりにストレートな回答に、これらをどう扱えばいいだろうとも思いました。ただ、それらも引き受けて、どう作品にするかは新しい経験でした。完成した今も、物語をつくったのが誰なのか、わからないような感覚があります。

Q. この作品とPCAFが問いかけたキーワード「これからの社会」「新しい成長」は、どのようにつながると考えますか？

---

今回、私は作者であると同時に受け手でもありました。次の展開として、集めた12ヶ月分の物語を受けて自分の言葉で書いてみたいです（後に詩集『家で待つ君のための暦物語』（2021年）として刊行された）。いまをとらえた作品は、どうしても時間が過ぎると過去のものになりますが、未来に延ばせないかという思いがあります。

昔の暦物語を調べていくと、ときおり登場する人物がいるんです。その人は名前がないか、「誰かさん」や、「家の友」のような呼ばれ方をしています。主人公ではなく、語り手でもなく、その人物はただ外から様子を見ていたり、いわば観察者なのです。今回の私の作品ではそれがワーカーや、Alexaだったとも言えますが、作品の前に立ったとき、私自身もその「誰かさん」なのだとわかりました。今後は、私という観察者が、観察者を描く、ということをやってみたいと思っています。

Q. PCAFの取り組みに対して感じた可能性や課題があれば教えてください。

---

大きな出来事が起こると「何かしなくては」と思うのは、表現する人や表現に関わる人たちの性《さが》だとも思います。でも、そのための場を作るところまではなかなかいけない。今回、PCAFという場があったから、ほかのアーティストたちとともに作品を発表することができました。展覧会という場があることで、人の流れが生まれ、考えが生まれ、またその先の段階へと進んでいける場として、PCAFのような存在が継続していくといいなと思っています。

# 池田 剛介
## Kosuke Ikeda

# 衝立、屏風、パンデミック
## Pandemic and (folding) Screens

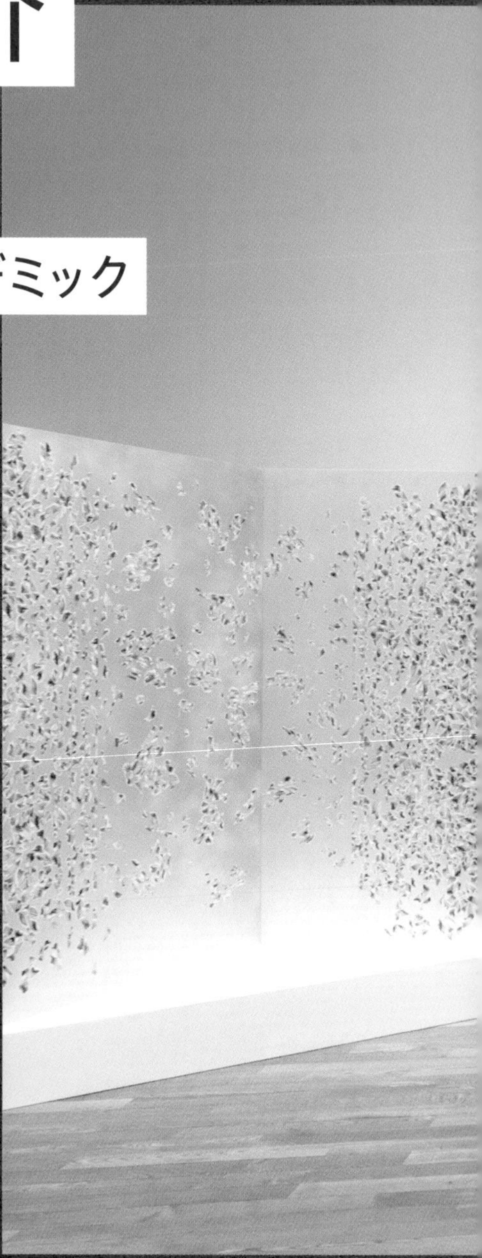



**いけだ・こうすけ**｜1980年福岡県生まれ。東京藝術大学大学院美術研究科先端芸術表現専攻修了。メディウムを横断しながら制作を展開し、並行して批評誌などでの執筆を手がけている。主な個展に「現象と干渉」(MEDIASHOP｜gallery、京都、2019年)、「モノの生態系」(絶対空間、台南、台湾、2015年)、「メルボルン芸術発電所」(RMIT PROJECT SPACE、メルボルン、オーストラリア、2013年)など。主なグループ展に「Malformed Objects」(山本現代、東京、2017年)、「Regeneration Movement」(国立台湾美術館、台中、2016年)、「あいちトリエンナーレ2013」(愛知、2013年)、「東京藝術発電所」(東京藝術大学、2011年)など。主なプロジェクトに「モノと占拠」(京都市立芸術大学、2018年)、「モノの占拠」(京都芸術センター、2016年)など。著書に『失われたモノを求めて 不確かさの時代と芸術』(夕書房、2019年)。2019年より京都にてアートスペース「浄土複合」をディレクション。

《衝立、屏風、パンデミック》2021年
インスタレーション

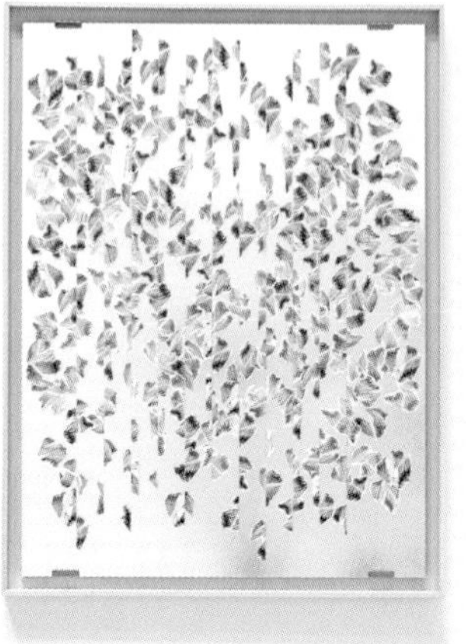



かつてこれほど多くの区切り＝衝立が、私たちの生きる世界に溢れたことがあっただろうか。カフェやレストランのテーブルの上には透明のアクリル板が立ち上がり、スーパーやコンビニのレジでは透明なシートが垂れ下がる。道行く人々の顔の半分はマスクで覆われ、オンライン上の会話では参加者の顔がフレームによって切り取られている。いわば社会全体が多様な「衝立」によるインスタレーションの様相を呈している。

屏風とは、折れながら自立する多面的な衝立である。立つためには開かなければならないが、しかし開きすぎると倒れてしまう――このような屏風のありようは、グローバル化によって世界に開かれ、拡張し続けることを至上命題としてきた私たちの社会にとって、痛切なアイロニーともなるかもしれない。人やモノがグローバルに行き交うことは、ウイルスを止めどなく拡散させることと表裏一体である。パンデミックを経て私たちは「開かれの度合い」を考えるべき地点に立っている。

屏風状の空間で展示されている作品たちは、ひと連なりのストロークや一元的な平面および量塊に対して、複数の衝立や亀裂の入ったものである。一なるものに介入する衝立や亀裂は、筆触や平面を切り分けながら複数化すると同時に、切り分けられた要素を新たに結びつけてもいる。折れる壁が重なりながら現れる空間で、作品はいかに閉じ-開かれうるのか。

（池田剛介）

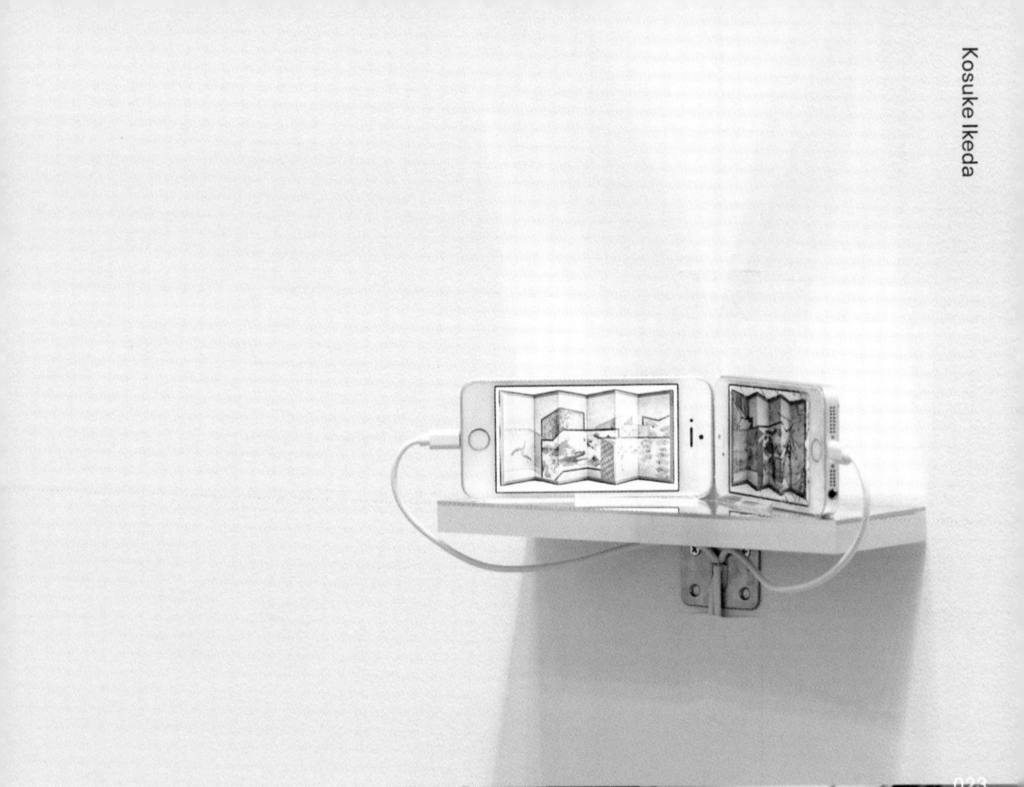

Q. ご自身の活動と、今回の参加作品(プロジェクト)について教えてください。

---

絵画やインスタレーション、プロジェクト型の作品など、メディアを横断しながら制作しています。また、批評誌などでの執筆や、拠点の京都で運営するアートスペース「浄土複合」では、文章のスクールや出版にも取り組んでいます。作品制作と書くことを往復するような仕方で活動しているわけですが、制作することも書くこともひっくるめた「つくる」ことについて、その環境づくりも含めて考え、実践したいと思っています。

今回の作品《衝立、屏風、パンデミック》は、コロナ禍において対面コミュニケーションが難しくなった経験と結びついています。パンデミック以降は感染拡大防止のために、飲食店には衝立やアクリル板が置かれ、スーパーやコンビニのレジ前には透明シートが吊り下げられました。パンデミック以前のように開かれているわけではなく、しかし全面隔離とも異なる「部分的隔離」とも言える状態がある。この部分的隔離の只中で世界を新たにとらえ直すことは可能だろうか、という関心から今回の作品に取り組みました。

部分的隔離について考えるうえで、ラバーハンド錯覚という現象も参考にしました。この実験では、片腕をテーブルに置き、その腕を自分の視線から遮るように衝立を据えます。さらに衝立の手前には、実際の手と並ぶようにゴム製の手を置く。この状態で、隠された手と、見えているゴムの手に同時に触覚的な刺激を与え続けると、しだいにゴムの手が自分の体の一部のように感じられてくるといいます。たとえばハンマーでゴムの手を打ち付けると、痛みのような衝撃が走るわけです。このとき「私」という感覚は、衝立による部分的隔離を通じて、ゴムの手と共に再編されていると言えるでしょう。つまり私たちの自己の輪郭は、必ずしも固定化されたものではなく変化しうる。モノと自分の輪郭が接合されるということなので、これは妄想や狂気などの領域とも接しているわけですが、自分と周囲との関係を捉え直す可能性も感じます。

今回、屏風というモチーフに興味をもったのは、それが衝立の一種であるのと同時に、部分的に閉じられ、部分的に開かれているという構造を内包しているからです。さらに、完全に閉じた(畳んだ)状態だと倒れてしまうけれど、開くと自立できる。しかし開きすぎるとやはり倒れてしまう。これも面白い点でした。今回のインスタレーションは、屏風状の多面的な壁で空間を区切りながら、折れた壁によって生まれる空間の各所に、入子状に屏風的な表現が現れるものになっています。たとえば絵画ならその支持体や筆触、立体であればそのマッス=塊に対して一種の「切り込み」を入れつつ、再連結・再接合させる構造になっています。

インスタレーションのなかにある、大きな石を鏡の壁で挟み込んだような作品は、今からちょうど50年前の1970年前後に作られたロバート・スミッソンの作品群ともつながりうると思います。彼の作品は、美術館のような抽象的空間から外へ出て自然環境などと関わる、サイト・スペシフィックな面が強調されがちです。ですがスミッソンは、石のような自然物をギャラリー空間に運び込んで鏡を挟み込む作品など、自然環境にあるものに抽象性を織り込んで再構成することもしています。最近は、こうした具体物に対して抽象性を鋭くかけ合わせるような試みに関心が向いています。僕にとって衝立というのは、社会という具体性の中に突如として現れた無数の抽象物で、そういう視点からパンデミックの状況を見ていたように思います。たとえばキュビスムが切子面によって具体物を解体しながら再構築するような、そういうものとして衝立というモチーフを扱っています。

スミッソンなどとも関連して、おおよそ1970年代以降、実際の社会的状況を反映した問題提起を行うアートプロジェクトが数多く展開されてきましたが、むしろ僕は、旧来型のアトリエから生まれるような表現も含め、ある意味で「閉じている」が故に、特定の文脈を超えてさまざまな場に「開かれる」ことの可能性に興味があります。今必要なのは「アートプロジェクト」という概念自体の更新ではないでしょうか。こうした問題については、浄土複合で発行している芸術誌『Jodo Journal』3号の中で、哲学者エリー・デューリングが提起しているプロトタイプという概念も踏まえて検討しています。*1

Q. この作品とPCAFが問いかけたキーワード「これからの社会」「新しい成長」は、どのようにつながると考えますか?

---

お話ししているように僕は物事を抽象的に捉える傾向があって、社会に直接的に働きかけるタイプの作品ではないのですが、ここで僕が提示しているのは、ある種の社会モデルのようなものではないかと思っています。

急激なグローバル化と発展・拡張が至上命題となるコロナ以前の社会から、いったん距離を置いて考えるとしたら、どのような視点がありえるのか。その時に、際限なく開くのではなく部分的に閉じること、または開くことと閉じることの「加減」について、作品を通じて考えてみたいと思いました。僕は京都に住んでいて、近所に銀閣寺や法然院、「哲学の道」なども近いのですが、観光客の混雑がすごいので、これまでほとんど寄り付かずにいました。しかしパンデミック以降は人がいなくなった街のあちこちを歩いて回ることが増え、そこでようやく見えてきた京都もあったんです。コロナで一旦閉じざるをえない事態を経て、社会は今後どのように開かれ、また閉じられるのかということを考える上でのヒントになれば、と思っています。



＊1「小特集:プロトタイプとは何か?」『Jodo Journal 3』浄土複合、2022年

# 遠藤 麻衣

## Mai Endo

# 現代に転生したマリリンを僕は弁《ま》護《も》りたい

## Defending Reanimated Marilyn

えんどう・まい｜1984年兵庫県生まれ。俳優・美術家として、自らの身体を通じたおしゃべりやDIY、演技といった遊戯的な芸術実践を行う。2021年東京芸術大学美術研究科博士後期課程美術専攻油画（壁画）研究領域修了。近年の制作として、婚姻契約という形式を通して婚姻制度を問う《アイ・アム・ノット・フェミニスト！》（2017/2021年）、理想の性器の造形からセクシュアリティを考える百瀬文との共作《Love Condition》（2020年）など。主な展覧会に、「ルール？」（21_21 DESIGN SIGHT、東京、2021年）、「彼女たちは歌う」（東京藝術大学陳列館、東京、2020年）、「When It Waxes and Wanes」（VBKÖ, ウィーン、2020年）、「アイ・アム・ノット・フェミニスト!」（ゲーテ・インスティトゥート東京、東京、2017年）。2018年に丸山美佳と「Multiple Spirits（マルスピ）」を創刊。主なエッセイに「毛むくじゃらの山」（『原稿集 第三号』、蜘蛛と箒出版、2020年）がある。

《現代に転生したマリリンを僕は弁護《まも》りたい》2021年
架空の裁判

アーティスト：遠藤麻衣／訴状及び書面等制作：中村朋暉（法科大学院卒業生）、久道瑛未（法科大学院卒業生）、松野泰知（法科大学院卒業生）／プロジェクトマネジメント・リサーチアシスタント：見目はる香
法律監修：谷口太規（弁護士）、曽我部真裕（京都大学大学院法学研究科教授（憲法・情報法））／協力：成相肇（東京国立近代美術館主任研究員）百瀬文（イマジナリーネームプランナー）／蘆立藍子、石井勝哉、中澤琴音、平林菜摘（京都大学法学部生）／飯山由貴、丹羽良徳（アーティスト）

架空の裁判のイメージドローイング

2016年に発表したパフォーマンス作品《あなたに生身の人間として愛されたいの》を題材に、裸体表現に対する今日の法的な解釈を問うことを目的とした架空の裁判プロジェクト。上述作品をめぐって起きた議論をもとに、架空の美術館を相手にした裁判を軸とする進行中の取り組みであり、この展覧会ではその途中経過としてのインスタレーションを発表した。　（遠藤麻衣）

天 ↑up
天 ↑up
大学美術館

女優

Q. ご自身の活動と、今回の参加作品(プロジェクト)について教えてください。

主に自分の身体を使ったパフォーマンスや、その様子を映像に記録した作品をつくっています。俳優として演劇に出演することもあります。大学では油絵専攻で、入学当時はそれまでただ好きで描き続けてきた絵を「発表する」ことをめぐって悩みもしました。他方、大学に入ってから始めた演劇は、もともと人に見せることを大前提にしている点で、制作の起点から発表までがすごくスムースな表現に思えて、そこに惹かれました。また、私は完成した絵と同様、描くという「行為」に注目することで自分の表現を発展させてきた面もあります。そうした点で、私のなかで美術家と俳優という活動はつながっています。

今回の作品は、2016年に発表したパフォーマンス作品《あなたに生身の人間として愛されたいの》[*1]を題材にしたものです。同作では私自身のヌードを用いることが会場の美術館と議論になり、最終的に館側の要請を受け入れるかたちで、下着をつけてのパフォーマンスになりました。当時、ヌード表現を諦めた理由は主に二つありました。まず、不特定多数が訪れる美術館でそれを行った際、想定される批判や反応への対応の仕方がわからなかったこと。また、このパフォーマンスが法にふれる行為なのかわからなかったことです。できない理由がわかってやめたのではなく、わからないからやめるという判断をしてしまったことに、ずっとモヤモヤしていました。専門家に相談すべきでしたが、時間的・経済的・心理的な余裕がないなかで、重要な判断を後回しにしてしまったとも思います。



そこで今回、このことを改めてじっくり考えたいと思いました。日本でヌードのパフォーマンスを行うにはどういう条件が必要で、またはどういう理由で難しいのか、できる限り言語化してみたいと思ったのです。そこでこれを「架空の裁判」というかたちで扱い、弁護士や司法修習生の方々の協力で作品化を進めました。展示は長机や椅子を並べたインスタレーションで、来場者は前述パフォーマンスの映像とともに、机の上にある架空の裁判資料をみることができます。作成した資料は原告側(アーティスト)の訴えと、被告側(架空の美術館)の反応、両者のキャッチボールを経て裁判官が判決をくだす流れで考えました。

Q. この作品とPCAFが問いかけたキーワード「これからの社会」「新しい成長」は、どのようにつながると考えますか?

まず「ポストコロナ」がいつ訪れるのか不明な現状で、この言葉が自分にとってどんな意味を持ち得るかを考えました。ポストコロニアル、ポストフェミニズムなど、様々な社会状況や思想にひもづく「ポスト」があるなかで、コロナの手前にこの言葉がつく際、それをどうとらえたら良いのかということです。

参考になったのが、フェミニズムやクィア理論で知られる竹村和子さんの言葉でした。大意としては、「ポスト」とはただ次なる新しいものについて考えるのではなく、むしろ自分たちが積み上げてきた文脈や社会を反省的に見返す意味が込められているというものです。私にとってもコロナ禍は、出演する演劇公演の中止などで、普段よりも考える時間ができた時期でした。この機会にあの作品を振り返り、別の視点から広げていけたらと思いました。

パンデミックは大きな社会的変化も生じさせます。そして今回の「架空の裁判」は社会の制度や慣習とつながっているので、コロナ禍下で、自分の関心が改めてこうした領域に向かった面もあるかもしれません。私自身は、誰かが人前で生まれたままの姿になることがあってもよいのではと思うほうです。ただ、裁判となるとそんな大雑把な気持ちでは話は進みません。実際に法の専門家と話し合うなかで「今回は美術館での発表という条件のみに絞ろう」などの判断もありました。具体性を高めることには良い面もあり、逆に、より根本的に考えたいときなどはもどかしく感じることもあります。当初は裁判という制度が問題をすっきり解決してくれるのではと思っていましたが、ことはそう単純でもない。特定の現場のみで戦えるロジックや言語の使い方が、別の場面では使えないこともあり、さらにそこではまた別の思考の組み立て方もあるなど、難しさがあります。

なお今回は読み物をひとつの軸とする作品でもあり、人どうしが直に向き合う演劇やパフォーマンス表現とは異なります。コロナ禍下ではそうしたフィジカルで距離の近い表現に待ったがかけられた状況もありました。今回、自分が初めてテキストベースの作品に取り組んだのも、そうしたことと関連しているように思います。



## Q. PCAFの取り組みに対して感じた可能性や課題があれば教えてください。

この作品は生身の身体やジェンダーに関するものであると同時に、そうした表現が自由に行える場や条件について考えるプロジェクトでもあります。展覧会ではその途中経過を発表するかたちとし、以降もプロジェクトを進めていくつもりです。最終的には、書籍化も視野に入れていますが、まだ未定です。こうした進め方を許容してくださったPCAFの支援はとてもありがたかったです。成果物としての作品に重点を置くものではなかったからこそ、プロセスに集中し、異分野の方との創造的な制作方法を試せたと思います。

また今回、法律を学ぶ学生の方々と共にリサーチし、議論し合うなどしました。一方で東京藝大の学生の方にもお手伝いをしてもらったので、もし機会があれば、こうした異なる分野の人たちが互いに意見交換できる場もつくれたらと思っています。

*1 アンディ・ウォーホルの作品《マリリン・モンロー》(1967年)を引用し、そのイメージを生身(裸)の身体に重ね合わせるパフォーマンス。遠藤自身がパフォーマーとなり、鑑賞者にむけて「I wanna be loved by you(あなたに愛されたいの)」と歌う。

# 大和田 俊
# Shun Owada

おおわだ・しゅん｜1985年栃木県生まれ。現在、東京を拠点に活動。音響と、生物としてのヒトの身体や知覚、環境との関わりに関心を持ちながら、電子音響作品やインスタレーションの制作を行なっている。東京藝術大学音楽学部卒業、同大学院美術研究科修了。近年の主な個展に、「破裂 OK ひろがり」（小山市立車屋美術館、栃木、2020年）、「大和田俊｜unearth」（ボルボ スタジオ青山、東京、2017年）、「Paleo-Pacific」（トーキョーワンダーサイト本郷、東京、2016年）、「unearth」（NTTインターコミュニケーションセンター、東京、2015年）など。同、参加グループ展やフェスティバルには「WRO Biennale」（National Museum in Wroclaw、ヴロツワフ、ポーランド、2019年）、「Ars Electronica 2018」（POSTCITY、リンツ、オーストリア、2018年）、「不純物と免疫」（トーキョーアーツアンドスペース本郷、東京、2017年）、「裏声で歌へ」（小山市立車屋美術館、栃木、2017年）などがある。

2021年～
2chサウンド、90分
協力:室井良輔、半田航輝、株式会社まちづクリエイティブ、
(株)長谷川、木村建造(株)

ガラス板はうすく透明な物体であり、空気をふたつに遮断する。だから音は遮断され、聴覚が隔てられる。壁の機能をもつものが、内と外と呼ばれる2つの空間を形作っているように思われる。耳が部屋の中と外にそれぞれないのはなぜだろうか。窓が割れ、部屋の内と外が通気する。しばらくして修理業者がそれを修理する。破裂音とともに瞬間的にあけられた穴は閉じられる（しかし、瞬間とはなんなのだろうか？）。そして、修理という時間の幅をへて、ふたたびもとの空間が回帰する（しかし、もとの空間とはなんなのだろうか？）。　（大和田俊）

Q. ご自身の活動と、今回の参加作品(プロジェクト)について教えてください。

もともと電子音楽をやっていて、そこから音を使ったインスタレーション作品をつくるようになりました。近年取り組んでいるのは、化石を酸で溶かして二酸化炭素を発生させ、昔の生き物の体の成分が現在の大気に出ていく際の発泡音を用いたインスタレーションです。これらを通じて、人間の身体と、その生存に関わる環境について考えてきたように思います。

2020年、新型コロナの感染が拡大し始めたころ、小山市立車屋美術館で個展「破裂 OK ひろがり」を開催しました。ここでは先ほど述べたような自分の取り組みを、空間の問題として考えてみました。化石から生じた二酸化炭素の泡は極小の空間でもあり、それが破裂すると地球の大気圏のような大きな空間の中に拡散していく。たとえばそこで展示空間に拡散したというレベルと、地球温暖化のような問題は意識の中で簡単にはつながりにくい。でもそこには、単に小さな空間が大きな空間に向かっていくことを超えて起きていることがあり、これをめぐって何か考えることができないだろうかと思い、取り組みました。

今回の作品は、この考え方の延長線上にあるものです。具体的にやったことは、古い民家で窓ガラスを割り、その後に呼んだ修理屋さんが片付けとガラスの取り替えを行って去っていくまでを録音しました。その際、録音は窓を挟んで家の内側と外側で行いました。そして展示では、これを背中合わせの2つのスピーカーで再生します。最初は静かな状態で、たまに外で子どもたちの遊ぶ声などが聞こえるなどしています。やがて内と外を隔てる窓ガラスが割れる大きな音がして、さらにその後、修理屋さんがやってきて元どおりになるまでの音が聞こえます。なお展示場所は美術館のガラス張りのエントランス空間を使いました。

ガラスは視覚を通す一方で聴覚を分離するものです。僕にとっては、そこがとても不思議で興味があります。そして部屋というのは壁でできていますが、窓ガラスを割る行為は、その壁を一部壊し、空気と音の行き来を発生させます。そのとき、分離されていた内と外の音が混ざり合うわけです。しかし修理されて元どおりになると、再び音は別々に分かれる。当然ですが耳というのは部屋の中と外に同時には置けないもので、このことは僕に、部屋の内外にいる人間の関係性などについても考えさせます。また、ひとつの部屋と、その周囲に広がる環境というのは「部分と全体」でもあり、音を通してこのことを考えるととても不思議な気持ちがします。この作品ではそうしたことを考えたいと思いました。

Q. この作品とPCAFが問いかけたキーワード「これからの社会」「新しい成長」は、どのようにつながると考えますか？

この1年、僕自身もひとりの市民としては、新型コロナの影響で外に出られず、人に会えないということはありました。また、鑑賞者がこの作品をめぐってコロナウイルスや、感染拡大下の生活から何か連想することもあり得るかもしれません。ただ、作家としての自分は、むしろそうしたことを自分の制作につなげることに抗うべきだと考えていました。コロナウイルスが広がる条件と、音が広がる理由、あるいは芸術があるための条件というのは、いずれも同じ地球のなかでの出来事ですから、当然どこかで関係し合っているでしょう。ただ、逆に言えばすべてがそうだとも言えて、そこに何ら特別な関係はないと思っています。もちろん新型コロナの感染拡大は社会的には非常に大きな出来事ですが、作家としての自分は、コロナから何ら得るものはないと感じるし、そうあるべきだとも考えました。

他方、今回は自分のこれまでの取り組みにはなかった要素もたしかにあります。従来の制作は音をめぐってコンセプチュアルな側面を主なテーマに、ライブ感のある表現——具体的にはその場で発生する音を使うというようなこと——をしてきました。今回の作品ではまず空間の音そのものをしっかり録音することから始め、これを作品化するという点で、新しい経験でした。そうすると、そこでは思った以上にすごく複雑なことが起きているのがわかり、それを編集するプロセスも必要になりました。それは僕のなかでは大きな経験だったと思います。またこの作品については、「完成した」という感覚はなくて、むしろそういうものにしてはいけないような気持ちもあります。考えた末にあえて作品タイトルをつけなかったことや、スピーカーを作業用の台車に乗せて展示するラフなありようも、そのあたりが関係しているかもしれません。

# 小泉 明郎
## Meiro Koizumi

### 自由の呪文
### Spell of Freedom

**こいずみ・めいろう** | 1976年群馬県生まれ。チェルシー・カレッジ・オブ・アート・アンド・デザイン（ロンドン）にて映像表現を学ぶ。現在は国内外で滞在制作し映像やパフォーマンスによる作品を発表している。「あいちトリエンナーレ2019 情の時代」（愛知県美術館／愛知芸術文化センター、愛知、2019年）、「第14回シャルジャビエンナーレ」（シャルジャ美術館、アラブ首長国連邦、2019年）、個展「Battlelands」（マイアミ・ペレス美術館、マイアミ、2018年）他、国内外の展覧会・国際展に多数参加。主な受賞歴に「Artes Mundi 9」、「第30回タカシマヤ文化基金タカシマヤ美術賞」。作品は、東京国立近代美術館、国立国際美術館（大阪）、テート・モダン（ロンドン）やニューヨーク近代美術館など多くの美術館に収蔵されている。

《自由の呪文》2021年
5チャンネルビデオ(15分)、催眠感受性を測るアンケートの結果、鏡

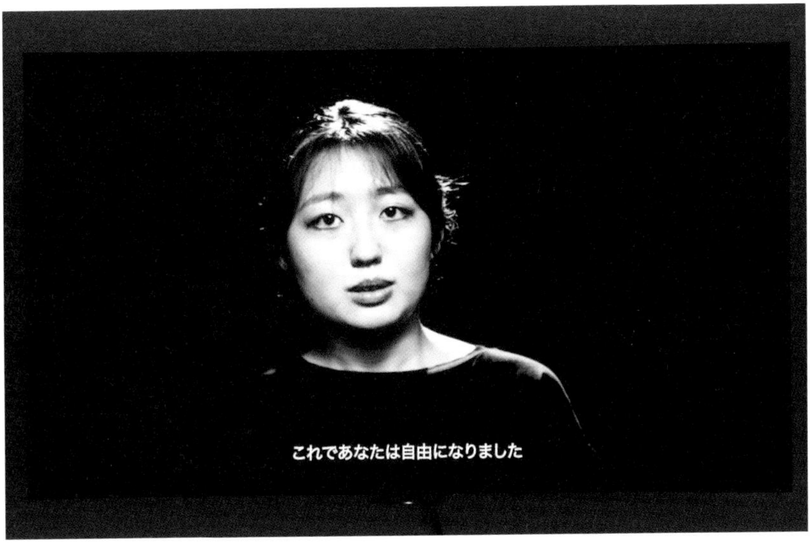




催眠術師・研究者である漆原正貴氏と共に制作したオンライン作品《自由の暗示　催眠実験》(2021年)を元に作られた映像作品。「自粛」という形で自らの行動を抑制し続けてきたパンデミック下の日本社会を背景に、人間の精神的自由や、この「自由」という状態が内包する矛盾について一考を促したい。催眠は人間の認知のメカニズムにおける言語の役割に深く関わる。無意識に強い言葉を求め、強い言葉に従ってしまうもう一人の「自分」が、自分の中にいることを発見するきっかけになってくれればと願う。(小泉明郎)

## Q. ご自身の活動と、今回の参加作品(プロジェクト)について教えてください。

これまで、主に映像を使ったビデオインスタレーションを発表してきました。人間という存在、またその人間がいる社会とはどういうものなのかをテーマとし、これを様々な形で探究しようとしています。コロナ禍以降、私は催眠術師と共に、音声を用いた作品をつくりました。皆が美術館に行けない状況下で、インターネットを通じて自宅で体験可能な作品ができないかと思ったのが理由のひとつです。そこで、声による暗示を聞きながら催眠にかかってもらうという作品をつくりました。[*1]

今回はその映像版として、実際に人々が催眠にかかる様子を記録したビデオインスタレーションをつくりました。ここで催眠術にかかる協力者の方々はまず、目の前に鏡をひとつ用意します。催眠術師の声を聞きながら鏡に写る自分を見ていると、段々とそれが自分ではないように見えてくる。さらにこの「自分ではない」、鏡の向こうにいる人から声をかけられる感覚になってきます。その様子を記録した映像を作品化しました。

## Q. この作品とPCAFが問いかけたキーワード「これからの社会」「新しい成長」は、どのようにつながると考えますか?



新型コロナの拡大当初、多くの人々が感染し、亡くなりもしていくなかで、どう行動すればよいのか、また自分を含む人間の行動をどう規制すればよいのか、誰も全くわからない状況が続きました。それは、当たり前だと思っていた常識が崩れて、我々の社会空間にある様々な意味が空白になり、不安定になった瞬間だったと思います。どう行動すべきかは、各自で考えるか、誰かの説明を信じるほかない。私たちはそうした状況を全世界的に体験したと言えます。

こうしたとき、我々は「コロナとはこういうものです」「こう行動すべきです」といった強い声をもとに、この不安定な社会空間を意味づけていこうとします。「強い声」は政府の発表であったり、ネットで影響力のある誰かの発信だったりと様々です。たとえば空気感染するのかしないのか、どちらを信じるかでも、目の前の風景や行動基準はガラッと変わり得るでしょう。

他方、催眠がとても興味深いのは、人間がこのように、強い言葉には従ってしまうという性質を炙り出す側面があることです。催眠術で「あなたの手は動かなくなります」と言われると、実際にそうなることがある。そこでは催眠術師のもつ権威が作用し、自らの意思とは別にその声=指令に身体が従ってしまうということが起きます。このとき人間の脳で起きていることと、コロナ禍の社会で私たちが無意識的に強い言葉に従ってしまう状況が、私にはパラレルなものとして感じられたのです。それがこの作品に取り組んだ動機でした。

状況的には未だ「ポストコロナ」や「新しい成長」を眼前のものとして語れる状況で

はないと思います。ただ、社会的な意味の空白が完全に埋め合わされていない不安定な状況だからこそ、どういう声が人を導くのか、どういう声に人々は動かされるのか、ということへの感受性を鋭くして生きていくことが求められるのではと思っています。

### Q. 学生(東京藝大生)インターンとの協働について感想があればお願いします。

---

学生の皆さんには、準備から撮影、展示設営まで全プロセスに参加してもらいました。各々が役割を担い、出演者への対応や、スタッフがどんな機材でどのように撮影するのか、照明でいかに画面が変わるのかなども見てもらいました。映像撮影の技術は経験しないとわからないことも多いと思います。そこで、現場で多様な決断が次々なされる過程や、モニターをみながら、今そこで良いことが起きているのか、何らかの修正や指示を加えるべきなのかを判断していく過程も積極的に見てもらいました。設営でも同様に、展示空間で何をどのように配置すれば緊張感を保てるのかなど、細かい決断一つひとつを共有しました。それらが作品をつくる人、マネジメントやキュレーションを志す人など、それぞれの参考になったなら幸いです。優秀でセンスの良い学生さんが多く、彼女／彼らのアイデアを取り入れるなど、私自身も助けられ、楽しめた制作でした。

### Q. PCAFの取り組みに対して感じた可能性や課題があれば教えてください。



---

コロナ禍において表現活動を続けるのは、今も非常に難しいと感じます。この状況でどう作品をつくり、どう人々とつながりながら発表していけるのか、アーティストにもわかりません。そのなかで、アーティストに制作資金や発表の場を提供してくれるPCAFの試みはとてもありがたいものでした。さらに言えば、コロナ禍という緊急事態に限らずこうした試みがより多く生まれると、アーティストは非常に助かるのではないかと思いました。

難しかったこととしては、初めてでかつ緊急的な動きだったこともあり、運営側もアーティスト側もノウハウが十分ではなく、互いに手探りの時間も多かったと思います。プロジェクトの内容はアーティスト側にほぼ任された一方で、その自由をどう行使するかも考える必要がありました。予算内で取り組むなかでも、やはり進めるうちにやりたいことが増えてしまいがちです。その加減をどう扱うかが、私も運営側も精神的な負担になってしまった場面もありました。ただ、こうした誰にも先がわからない状況では、私たちは互いに完璧さを期待しないほうがよいとも思い、そのことも心がけながら取り組んだつもりです。

＊1《自由ノ暗示催眠実験》(2021年)。同作は2021年、国際交流基金主催のオンライン展覧会「距離をめぐる11の物語：日本の現代美術」展にて発表された。

# SIDE CORE

## empty spring

＊SIDE COREは今回、彼らが従来から協働してきたアーティストグループ、EVERYDAY HOLIDAY SQUADによる同作を展覧会来場者にプレゼンテーションすることを選択した(詳細はインタビュー参照)。

**サイドコア** ｜ 2012年より活動開始。メンバーは高須咲恵、松下徹、西広太志。ストリートカルチャーの視点から公共空間を舞台にしたプロジェクトを展開。路上でのアクションを通して、風景の見え方・在り方を変化させることを目的としている。野外での立体作品や壁画プロジェクトなどさまざまなメディアを用いた作品を発表。主な展覧会に「水の波紋」(ワタリウム美術館、東京、2021年)、「under pressure」(国際芸術センター青森、青森、2021年)、「Alternative Kyoto」(京都、2021年)などがある。

EVERYDAY HOLIDAY SQUAD《empty spring》2020年
映像、5分27秒
会場には、緊急事態宣言下の東京の写真などを収めた同名のZINEも展示された。

054

映像作品より抜粋

2020年4月、1回目の緊急事態宣言下の人のいない渋谷の街中で、ポルターガイスト現象を撮影した映像作品です。心霊写真とは1884年にフィルムが発明されて写真が普及する以前、「銀盤写真法」が一般的であった時代から存在していました。1875年、写真家エドゥアール・ビュゲーは心霊写真捏造の罪で逮捕され、彼は二重露光によって写真を捏造したことを自白します。しかし彼の霊的能力を信じていた人々はビュゲー自身が捏造を認めても、その写真が本物であるということを信じ続けました。このような現象は「トゥルー・ビリーバー・シンドローム」と呼ばれています。まさかこのポルターガイスト現象が事実だというつもりはありませんが、人が消えた都市こそ今となっては嘘のように感じてしまいます。（SIDE CORE）

HIGHBALL
BAR
B1
渋谷ハイボール
3F
焼肉食べ放題
2,480円
しゃぶしゃぶ
食べ放題
渋谷センター街
Wendy's
First Kitchen
カラオケの歌広場
Welcome
センター街

渋谷
2号店
2F
3F
4F
Ventuno
Tokyo
白鳳
DAIWA
臨時休業
INTERNET CAFE

Q. ご自身の活動と、今回の参加作品(プロジェクト)について教えてください。

---

松下徹　僕ら3人は個々にアーティストとして活動しながら、SIDE COREではチームとしてストリートアートを切り口に展覧会の企画や、公共空間でのゲリラ的な作品制作、壁画を描くプロジェクトなどを行っています。

今回は、いつも協働しているEVERYDAY HOLIDAY SQUADの作品を展示しました。彼らは匿名のメンバーからなるチームで、いつも状況に反応しながら新しいアイデアで作品をつくることが特徴です。この作品は2020年4月、最初の緊急事態宣言が発出されたとき、渋谷の風景を撮影した映像です。無人になった街ではいろんな怪奇現象が起こります。カラーコーンがスクランブル交差点を横断したり、ごみや段ボールがひとりでに動いたり。

あのとき街から人影が消えた風景は、今では信じられないほど異様な風景でした。そして、当時のあの「わからなさ」は深く印象に残っています。どれだけ消毒すればいいのか、医療はどうなるのか。まだワクチンもなく、自分たちに見えない領域で人智を超えたことが始まってしまう不安がありました。そういう当時の感覚を映し出したものだともいえます。

この作品はポルターガイストを題材としていますが、「トゥルー・ビリーバー・シンドローム」いう言葉があって、これは超常現象をいちど信じ込んだ人たちが、それが事実ではない証拠を突きつけられてもなお信じ続けることをいいます。19世紀に起きた心霊写真の捏造事件では、撮影者が捏造を自白した後でさえ信じ続ける人がいました。これはフェイクニュースや情報の氾濫が問題視される現代においても重要なサブジェクトだと考え、そのことも今回この作品を見せたいと思った理由です。



Q. この作品とPCAFが問いかけたキーワード「これからの社会」「新しい成長」は、どのようにつながると考えますか?

---

松下　当初PCAF展は2021年6月に開催される予定で、かなりの緊張感や不安のなか、オリンピックも近づき、「一体どうなるんだ?」という時期でした。感染防止対策も盛んに訴えられ、僕らも当初はそんな状況に呼応した作品をこの展示に向けて準備していました。でも展覧会が他ならぬコロナの影響で11月に延期された結果、秋には感染者数が急減し、緊張感もだいぶ薄れるなど社会は変わりつつあった。そうなったとき、最初に考えていた作品を今見せるのは「何か違うな」と思えてきました。
高須咲恵　PCAFの成り立ちを考えれば、作品を通じて新しいビジョンを示すことや、支援の成果として新作を出すほうが明快かとも思いました。でもこの時期に私たちが何か見せるなら、今忘れかけている最初の鮮烈な体験を映し出すほうがいいと考えたんです。

この作品に関連してもうひとつ私が面白いと思ったのは、当時(2020年4月)、多くの人々が渋谷のスクランブル交差点のライブカメラを見ていたことです。たぶん普段は10人くらいなのが、千人以上が同時にあの交差点を見つめていた。私たちはこれまで、日常に侵食する監視カメラを題材にした作品もつくってきたけれど、このときは、ライブカメラのチャット機能で人々がコミュニケーションしているのが印象的でした。たとえば今回の作品では、この交差点でカラーコーンが動く様子も撮影しています。このときもチャットがざわついたんです。「あれ、今動いた?」「動くわけないよ、早く寝ろ」「もう一回動くかも」みたいな。深夜3時、たった1分ほどの出来事だけど、そこで見知らぬ人同士が言葉を交わしているのが面白かった。そんなことも思い出します。

松下　今はいろんな出来事がどんどん起きてくるから、コロナ禍での様々なことも、僕たちは本当にすぐ忘れてしまうんじゃないかと思う。でも、この作品を見るたびに当時のことが呼び起こされるとか、そんな体験をしてもらえたらいいと考えています。また作品は渋谷の街で撮影されていますが、撮影当時からみてもだいぶ街並みが変わっていて、風景の記録という観点もあります。

西広太志　そういう意味では記憶力が必要な時代ですね…。

高須　コロナでは多くの人が亡くなっていて、今も進行形の、本当に大変な出来事です。たとえば大きな戦争については、当時のことを伝えるミュージアムや書物が残されている。その点から言えば、PCAFは「日本はコロナ禍のときこうだった」という時代の記録にもなると思う。そうした「記録装置」は様々な角度からあったほうがいい。



松下　ストリートアートの領域でリサーチベースでの活動をしていると、知りたいことが本に書いてある世界じゃないんですね。だからこそ情報に価値がある。同じような視点から、未来のために今のことを残すというのは重要な気がします。

Q. PCAFの取り組みに対して感じた可能性や課題があれば教えてください。

---

松下　すでに答えたこと以外でいうと、この状況下でアーティスト同志が刺激し合えた良さも感じました。最初の顔合わせで所信表明みたいなことをしたのですが、時代認識やこの機会のとらえ方は本当に様々でした。それ自体が作品のようでもあったし、互いに「かましてやろう」という感じも面白かった。展覧会にもその感じが出ていたらいいですね。

西広　僕は個人で海外のアーティストを受け入れるプログラムを行なっていて、やはりそこから得るものがあるし、外に発信する機会にもなっていた。それが、コロナでどちらもできなくなりました。だから今回、コロナ禍のなかでも作家が刺激を与え合ったように、次は海外の作家ともそうした体験ができたらいいなと思っています。

# サエボーグ
## Saeborg

### プートピア
Pootopia

**サエボーグ**｜1981年富山県生まれ、東京拠点。サエボーグは不完全なサイボーグ。半分人間で、半分玩具。自らの皮膚の延長としてラテックス製のボディスーツを自作し、装着するパフォーマンスを展開する。性別などの固定化されたアイデンティティや、人間の身体そのものを超越したいという強い願望を原動力に、雌豚や害虫を玩具的にデフォルメしたボディスーツに身を包み、生態系の最底辺の生き物たちが織り成す遊戯的なユートピア実験牧場をつくり出す。近年の主な発表に、「LIVESTOCK」(PARCO MUSEUM TOKYO、東京、2021年)、「Cycle of L」(高知県立美術館、高知、2020年)、「あいちトリエンナーレ2019 情の時代」(愛知、2019年)、「Dark Mofo」(Mona Museum主催、ホバート、オーストラリア、2019年)、「第6回アテネ・ビエンナーレ」(アテネ、ギリシャ、2018年)、「Submerge festival 2022」(マンチェスター、イギリス、2022年)など。これまでの作品は、東京のフェティッシュパーティー「デパートメントH」で初演された後、国内外の国際展や美術館で発表されている。2022年、「Tokyo Contemporary Art Award 2022-2024」受賞。

《プートピア》2021年
ラテックス

062

家畜たちのロールプレイングを展開する《slaughterhouse》シリーズとユニバースを同じくする《Pootopia/プートピア》。この作品は、家畜の排泄物を住みかとするフンコロガシたち(poorincess/プーリンセス)が暮らすうんちの城を中心としたインスタレーションです。会期中のパフォーマンスイベントではフンコロガシたちの城であるうんちを分解し、城(境界)を消化していく様を展開しました。2020年に高知県立美術館にて初演したこの作品は今後、さらに世界を拡張し発展していきます。 (サエボーグ)

展覧会での公開パフォーマンス　2021年11月27日
音楽：DJ TKD／パフォーマー：露木 妙、前田もにか、ゆずこ／スタッフ：長尾優希

## Q. ご自身の活動と、今回の参加作品(プロジェクト)について教えてください。

自作の着ぐるみ(ボディスーツ)作品と、それを着て行うパフォーマンスを展開しています。素材は可塑的なラテックスで、これを皮膚の延長ととらえて、いわば新しい身体を手に入れるために制作を続けてきました。さらにキャラクターたちの周囲の世界もつくり始め、そうして生まれたサエボーグランドが今も拡大中です。

活動を始めるきっかけのひとつで、かつ多くを学ばせてもらったのは、90年代から東京で毎月開催されているフェティッシュイベント「デパートメントH」です。私は2000年代初めに通い始め、やがてスタッフとしても関わり、さらにパフォーマンスを始めました。ひとことでフェティッシュと言ってもひとり一人の志向は様々で奥深いので、私は自分自身の欲望を最優先に追求し、フェティッシュ以外にもいろいろなテーマを取り入れることにしました。さらに別の場所でも上演するなどして、活動の幅が広がりました。

私の着ぐるみに家畜が多いのは、まず自分とは別の何かになりたくて、多くの人は強い何かに扮装します。そこで天邪鬼な私は弱い何かに扮装しようと思い、それが家畜でした。加えて、家畜はただキュートな動物ではなく、残酷さや人間との複雑な関係を考えさせる点に関心をもったのだと思います。最初はディストピアや管理社会などのテーマを意識していました。ただ、家畜について調べていくなかで私の視点も変化してきて、たとえば飼育人は長期にわたり動物の世話をさせられる点では、誰が誰を支配しているのだろうとも思えてきます。ならば人と家畜の長い付き合いを見つめ直すことで、逆に自分たちをデザインし直すような観点も面白いと思えてきました。



代表作のひとつ《slaughterhouse》は、牛、羊や鶏、豚などの動物、そしてファーマー(農民)が登場し、家畜たちのロールプレイングを展開する作品／パフォーマンスです。着ぐるみごとにコンセプトとギミックがあり、牛はお乳が搾れて、羊は毛を刈れる、また鶏は卵を産めるし、豚は身体からハムがもげて内臓が見えたりします。各々が生まれたときから与えられている役割を次々にこなし、最後にファーマーが服を脱いでストリップすることでそれらを昇華する、という構成です。

今回は、こうした先行作品と同じユニバース(世界設定)を共有する作品で参加しました。この《プートピア》は、先ほどの家畜の排泄物を住みかとするフンコロガシ(poorincess/プーリンセス)たちが暮らす、うんちの城を中心としたインスタレーションです。フンコロガシは面白い生き物で、獣糞を食糧にする不浄のイメージがある一方で、エジプト神話では不死の象徴や、太陽の化身とも言われるそうです。その両義性が面白いと思いました。また環境問題の点から見ると、大量のうんちを分解して肥料に変える重要な存在でもある。そう考えると、彼らが地中に迷宮のようなうんちの城をつくり、軽やかに生きているイメージが湧きました。不浄とされるものを自らのうちに取り入れて分解し、その先へ進んでいく姿を想像したとき、自分も今何か、そういうことができないかと思ったのです。

Q. この作品とPCAFが問いかけたキーワード「これからの社会」「新しい成長」は、どのようにつながると考えますか？

イベントやパフォーマンス中心に生きてきた私にとって、パンデミックに伴う舞台系イベントの相次ぐ中止は、人生が変わったというより、終わったような気持ちになる出来事でした。じつはその前年の海外イベントでの上演が好評で、世界各地からオファーをいただいていました。今までしてきたことが実った、来年からは世界だ！と思っていたのが、コロナで全てキャンセルになりました。どうしたらいいのかと、とても辛かったです。

もちろん、ウイルスの拡散を防ぐための「壁」は必要です。ただ、壁の内側だけに閉じこもるのは嫌だから、超えていくべき境界に向き合うことは止めたくないと思いました。フンコロガシが自身のお城を食べることは、自らを守る境界を分解し、同時に自らの中に取り込んでいくようでもある。城としては崩壊するけれど、より広く見ればそれは循環でもある。それが、何だかよいなと思ったのです。

初演は高知県立美術館で、2度めの上演は先ほどもお話した「デパートメントH」です。このイベントはコロナ禍の下で規模を縮小しながら、それでも感染症対策を行い毎月続いていました。ああいうイベントは、一回やめると再開はとても難しいのです。そうした状況で、お客が減り、広く使えることになったステージを活かして《プートピア》を上演しました。お城のシャイニーな感じにこだわったのは、私自身が辛気臭い気持ちになっていたので、それでも心は光輝いているよ、という感じでいたかったから。舞台関係者だけでなく、音楽イベントや飲食業でも、または介護など、どんな職業の方にも色々辛いことがあったと思います。そして、それぞれがいろんなものを賭けて生きているはずです。だから、こんな情勢でも乗り越えていきたい——そんな気持ちを込めて生まれた作品でもあります。

コロナのせいで大事なものを失った気持ちも、変われて良かったと思うことも、両方あります。もう少し時間が経たないとその影響はわからないとも思う。そのなかで、それでもやり続けよう、そして自分も変わり続けなければと考えています。そして、今はひとつの節目であると同時に、これからも世界はどんどん変わっていくのだろうと感じています。

# 竹内 公太
## Kota Takeuchi

## 文書1：王冠と身体（第2版）
### Document 1: Corona and Body (ver.2)

**たけうち・こうた** ｜ 1982年兵庫県生まれ。2011年の東日本大震災後、福島県に移住し、浜通り地方を拠点に活動。東京電力福島第一原発ライブカメラの「指差し作業員」の代理人。パラレルな身体と憑依をテーマに、映像・写真のインスタレーション等を制作。失われた歴史の痕跡を辿り、隔絶された土地で協働しながら、メディアと人の関係を探る。2020年個展「Body is not Antibody」（SNOW Contemporary、東京）にて、パンデミックにおける国家／身体のイメージについてのインスタレーションを発表。2021年に「Tokyo Contemporary Art Award 2021-2023」を受賞。

《文書1: 王冠と身体(第2版)》2019〜2021年
紙にレーザープリント、写真

この作品は、文字を縦横に並べて絵に見立てる、アスキーアートの手法を利用した図像です。255ページの文書からなるこの図像「王冠と身体」は、トマス・ホッブズ著『リヴァイアサン』(1651年)の扉絵(アブラハム・ボス作の銅版画)に描かれた怪物の姿から、王冠(Corona)と身体(Body)の部分だけを抜き出したものです。この文書/図像に使用されたフォントは、作者が2020年初頭に福島県の帰還困難区域(2011年の原発事故による立入制限区域)で警備員をしていた際、交通警備業務に用いる誘導棒を使ってアルファベット、数字、記号を描いた写真を元に制作されました。国という巨大な身体のために、人々がその身を捧げ“抗体”のようにふるまう様子を表しています。

(竹内公太)

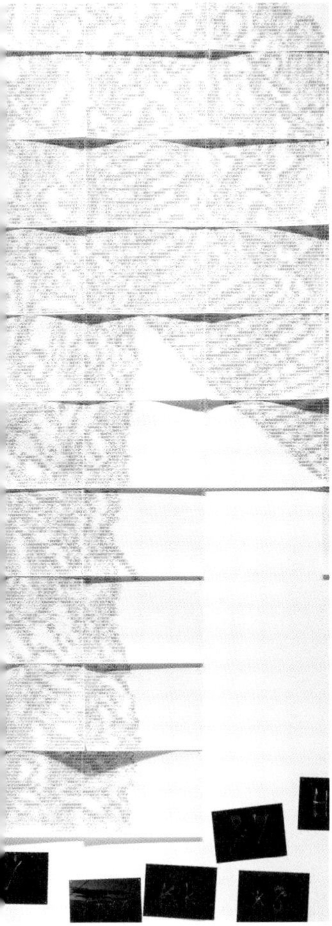

Nn
Mm
Hh
Oo

## Q. ご自身の活動と、今回の参加作品(プロジェクト)について教えてください。

フィールドリサーチをもとに、歴史上の、また進行形の出来事を調べ、メディアと人間の関係を探る作品をつくっています。2011年の東日本大震災と原発事故をきっかけに、福島県いわき市に移り住んで活動を始めました。私にとって震災と原発事故、そこから生じた多くの方々の避難生活は、お話したような関係について長い時間軸での再考を促すものになりました。

今回の作品は、A4用紙に文字を並べた文書を印刷し、ある怪物のイメージをつくったものです。参照したのは思想家・政治哲学者のトマス・ホッブズの著作『リヴァイアサン』(1651年)の有名な扉絵で、海より出て山より高い、巨大な怪物が描かれています。その身体は小さな人民の体が密集してできているという不気味な絵で、私たちの共同体や国家というシステムを論じるさいに、何度も参照されてきました。今回はこの怪物が被る王冠(Corona)と、首から下の身体(Body)を抜き出しました。

コロナはギリシャ語で王冠を表す言葉で、コロナウイルスもその形状から名付けられたそうです。そして今回の図像は、コロナをめぐる騒動のなかで垣間見えた「怪物」の姿——たとえば、私たちが一致団結した動きをとることで感染症を抑制しようとする動き——を連想させるイメージとして選びました。私たちは皆でマスクを付けたり、人流を抑制したりと、個々の自由を少しずつ我慢して感染拡大を食い止めようとしています。経済活動との兼ね合いなど、喧々諤々の議論が続いていますが、本来それらは何のためなのか。



もちろんそれは、感染リスクに直面せざるを得ない方や、医療従事者などエッセンシャルワーカーと言われる方々、またこの状況下で困窮に陥った方たちなど、ひとり一人の生活や命を守るためでしょう。しかし、特に感染拡大初期の報道を見ていると、各国の政治家がコロナ対策の成否や感染源を諍いの種にしているきらいもあると感じました。そこでは国や共同体が大きな体をもつ何かとなり、それ自体を守り、強くすることが優先されるような錯覚があるのではないか。私たちは今、どの「身体」のために一致団結するのかを、立ち返って考えたいと思いました。

## Q. この作品とPCAFが問いかけたキーワード「これからの社会」「新しい成長」は、どのようにつながると考えますか?

自分としては、全体のテーマ「新しい成長」に対し、「ここは忘れない方がよいのでは」という視点を提示できればと思って参加しました。

この作品に用いた文字は、2020年初頭に自分でつくったフォント(書体)を使っています。当時、原発事故に伴う福島県の避難区域で警備員の仕事をしていました。その時期に、車や人を案内する誘導灯で空中に文字を描き、光跡写真の手法でつくった文字です。ですから文字自体が自分の身体の動きで、かつ復興事業という巨大な国家事業の末端となった経験からつくられたものだとも言えます。

警備員の仕事は不審者の有無をチェックすることだと考えると、自分の体が巨大な怪物の一部になり、ウイルスを排除する抗体になってしまったようでもあります。逆に古くから福島に住む方々のなかには、復興事業に携わる人々はどこから来たかもわからない存在で、不安の声もある、と聞きます。いずれも内と外、全体と部分、監視と排除、そして個と共同体の関係性における出来事です。その意味では、コロナで生じた事態には、震災後に見た光景と重なる部分も感じます。ですから今回の作品は、大きな社会的困難や変化を前に、人々が国家規模で一致団結するときに起き得ることについて広く問うものでもあります。

また、私たちはコロナ禍においてインターネットなどの通信技術を一層活用していますが、これを介して市民が監視や排除・攻撃に参加している印象もあります。感染拡大のリスクになりそうな行動や、異質な存在を目ざとく見つけてリアクションする。多くの人が国や共同体に命じられたのではなく、進んでそこに参加するようなこの現状は、情報技術によって加速し、現実生活にも浸透しているのではないでしょうか。このようなテクノロジーの特徴、つまり便利さと危うさの両義性も暗示できればと考えました。

### Q. PCAFの取り組みに対して感じた可能性や課題があれば教えてください。



おそらくPCAFが目指すのは、従来の「成長」を見つめ直し、変化を促すきっかけでしょう。一方で、社会全体が急激に変化するとどこかにしわ寄せがいって、それが新たな火種にもなり得るというのも、歴史を振り返れば珍しくないことです。ですから基本的には、変化はゆっくりと起きるほうがよいと考えています。もちろん喫緊の問題もありますが、PCAFが見ている領域はかなり広いので、急いで結論付けるべきではないと思うのです。

たとえば大量生産・大量消費を再考するとき、これから経済成長を目指す地域や世代に対して、果たしてそれを言葉で抑制できるのか。または、今後もし緩やかに資源が枯渇し、ゆっくりと人類の減少が起きたとして、その過程で殺し合いや奪い合いを防ぐにはどうすべきか。そして、社会を大きく変化させようというとき、そこでは強力なステートメントや、ときにはプロパガンダも求められ、そこに芸術が寄与してしまうこともあり得る。今回の作品には、そうした変化に対する冷静さを期待する気持ちも込めています。

# Chim↑Pom from Smappa!Group

## はい、こんにちは
## Hello There

**Chim↑Pom from Smappa!Group**｜卯城竜太・林靖高・エリイ・岡田将孝・稲岡求・水野俊紀により、2005年に東京で結成されたアーティストコレクティブ。時代のリアルを追究し、現代社会に全力で介入したクリティカルな作品を次々と発表。世界中の展覧会に参加するだけでなく、独自でさまざまなプロジェクトを展開する。東京電力福島第一原発事故による帰還困難区域内で、封鎖が解除されるまで「観に行くことができない」国際展「Don't Follow the Wind」(2015年～)の発案と立ち上げを行い、作家としても参加している。2022年春には森美術館(東京)で「Chim↑Pom展：ハッピースプリング」を開催。彼らのプロジェクトベースの作品は、日本の美術館だけでなくグッゲンハイム美術館(ニューヨーク)、ポンピドゥ・センター(パリ)などにコレクションされ、アジアを代表するコレクティブとして時代を切り開く活動を展開中。

《はい、こんにちは》2020〜2021年
インスタレーション
(バルーン[軟質塩ビシート、塩化ビニル樹脂系塗料]、ミクストメディア、写真[ラムダプリント、74.67×112cm　撮影:井手康郎])
制作協力：涌井智仁

新光

2020年8月22日に歌舞伎町のビル屋上とレストランで開催された、エリイの出産にあたってのベイビーシャワー。フェイスガードを着装した友人たちが集まり、それぞれにパフォーマンスや造形などを子への贈り物とした。胎児を映したエコー写真がデザインされた巨大なバルーンを屋上から打ち上げ、それを繋いだ何本もの赤い糸を参加者が持つ。決して離さないことで、公共空間に漂うバルーンを繋ぎ止める責任感を、胎児との繋がりにオーバーラップした。エリイ自身も、超音波で胎児の心音を臍帯音とともにスピーカーで流すサウンドパフォーマンスを披露。和田彩花による自作の詩が音に合わせて朗読された。

（Chim↑Pom from Smappa!Group）

※インタビューはメンバーのエリイによるもの

## Q. 今回の参加作品（プロジェクト）について教えてください。

私は2020年に妊娠・出産しました。その年の8月、コロナ禍の東京でベイビーシャワー[*1]を行いました。お腹の中の子を早めに皆に紹介しておくという集まりですけど、コロナで人が集まっちゃいけない雰囲気だったので、考えた結果、ビルの屋上でやることにしました。来てほしい人がたくさんいたけど、コロナ全盛期で呼ぶことが出来なかった。限られた人数のなか、当時は皆がフェイスガードをつけたりしていて、街なかには人が全然いない、そんな時間も含めてひとつの作品に閉じ込めたのが、この《はい、こんにちは》です[*2]。

新宿・歌舞伎町のビルの屋上から夜空にバルーンを浮かべて、それをつないだいくつもの赤い糸を、参加者の皆に持ってもらいました。今、私たちは生きているけれど、自分たちのことだけじゃなくて、次の世代やその先の地球に対しても責任がある。そうした自分たちの態度について、この糸を持つことから実際の行動が起きることもあり得ると思いました。この糸は自分自身とつながっているけれど、皆で持っているその糸を離してしまったら、風船は飛んでいってしまう。そして、人はそれぞれが生きてそれで終わりではなくて、死んだ後にも自分たちと同じように人間が続いて生まれてくるわけで、つまりそれも含めて「自分」なんですよね。それは自分の子どもだけの話じゃない。今生きている人たちさえ良ければいいってわけじゃないというのは、コロナ禍のなかで皆が深く考えたことでもあると思いました。



作品としては、このバルーンに加えて、ベイビーシャワーの写真や、そこで私自身がパフォーマンスをした様子などの映像もあります。展示は靴を脱いで赤い空間の中で体験していただくかたちで、それは胎内も想定し、赤い糸を部屋に張り巡らせて垂らしました。

同時に思うのは、コロナでもよく使われるようになった「距離感」という言葉でいうと、私にとってお腹の中の子との距離感は、「宇宙の果てが一番近い」というような感覚でした。自分の中にいるんですけど、果てしなく裏側、地球の端と端というくらい距離は遠かったなとも思います。どんなに一緒でも違う生き物として「他（た）」ですよね。だから、その「会うことが出来ない他」に想像力を働かせるということです。もちろんお腹がふくらんできたり、心臓の音を聴くことができたりとかで、物理的には近くに感じられるし、生まれてきた今ではずっと一緒にいて距離は誰よりも近いんですけど、やっぱり「他」ではある。その「他」でいられることによって関係を結ぶことが出来る。人との距離感って物理的なことももちろん影響するけども、精神的な部分がすごく大きいんだなというのは今回思いました。

Q. この作品と、PCAFが問いかけたキーワード「これからの社会」「新しい成長」は、どのようにつながると考えますか？

私にとってこのPCAFの試みは、進んでいくなかで、始まった時点とはまた違ったものになっていった感じがあります。それは自分たちだけでなく、他の参加者の方々を見ても思うし、展覧会の中身もどんどん変わっていった感覚がある。だから初めに付けられた題材が今どれだけ意味を持つのかは、わからないところもあります。ただ、「新しい成長」に関して言うと、私自身は妊娠・出産という新しい経験をしたし、新型コロナというのは皆にとって初めての経験でもあったと思う。そして、初めての体験によって絶対的に変わったところはあって。それが成長なのか、ただの事象なのか、今はわからないですけれど。

Q. PCAFの取り組みに対して感じた可能性や課題があれば教えてください。

私たちもコロナが始まってから何件も展覧会がなくなったので、展覧会に参加したのがすごく久しぶりでした。だから「砂漠の水がすごく美味しい」みたいな感じがして、久しぶりにすごく面白かったです。「あるのが当たり前」ではないことがわかると、たとえばコップ一杯の水も大事にして生きられるじゃないですか。こういう感覚が今後も続いていくのか、薄れていくのかわからないですけれど、そんなことを思いました。あと、今回PCAFで選ばれたアーティストはけっこう中堅の人たちみたいな感じじゃないですか。だから、もし今後もこの活動が続くなら、次はもっと若い子たちが選ばれてもいいかもしれないですね。



＊1 出産を間近に控えた人のために、家族や親戚、友人知人が集まって安産を祈願するアメリカ発祥のパーティ。名前の由来は、生まれてくる子どもやその親に、祝福や愛情をシャワーのように注いでお祝いするという意味だとされる。

＊2 2022年、エリイは同名のエッセイ集『はい、こんにちは一Chim↑Pomエリイの生活と意見』(新潮社)も上梓した。

# 中村 裕太

# Yuta Nakamura

## いかものの問題！

## The problem of kitsch!



**なかむら・ゆうた**｜1983年東京生まれ、京都在住。京都精華大学芸術学部准教授。2011年京都精華大学芸術研究科博士後期課程修了。博士（芸術）。〈民俗と建築にまつわる工芸〉という視点から陶磁器やタイルなどの学術研究と作品制作を行なう。主な参加展に「六本木クロッシング2013：アウト・オブ・ダウト―来たるべき風景のために」（森美術館、東京、2013年）、「第8回アジア・パシフィック・トリエンナーレ」（クイーンズランド・アートギャラリー、ブリスベン、2015年）、「第20回シドニー・ビエンナーレ」（キャレッジワークス、2016年）、「あいちトリエンナーレ」（愛知県美術館、2016年）、「柳まつり小柳まつり」（ギャラリー小柳、東京、2017年）、「MAMリサーチ007：走泥社―現代陶芸のはじまりに」（森美術館、東京、2019年）、「表現の生態系：世界との関係をつくりかえる」（アーツ前橋、群馬、2019年）、「ツボ_ノ_ナカ_ハ_ナンダロナ？」（京都国立近代美術館、京都、2020年）、「万物資生｜中村裕太は、資生堂と　　　を調合する」（資生堂ギャラリー、東京、2022年）、「眼で聴き、耳で視る｜中村裕太が手さぐる河井寛次郎」（京都国立近代美術館、京都、2022年）など。共著に『アウト・オブ・民藝』（誠光社、2019年）がある。

《いかものの問題！》2021年（部分）
陶、土、紙、木／インスタレーション
今和次郎《工芸各種図案（1）》、《工芸各種図案（6）》1912年、東京藝術大学大学美術館蔵

写真上：今和次郎《工芸各種図案(6)》1912年、東京藝術大学大学美術館蔵

写真上：今和次郎《工芸各種図案(1)》1912年、東京藝術大学大学美術館蔵



*五月二十六日(金)*
*(…)それから自動車で(上野、今、白鳥、竹内の諸氏と共)浅草の遊楽街へいく。眼まぐるしいほど多彩、光、映画、ざわめき、色とりどりな広告！(…)この遊楽街には飲屋もあれば屋台屋、小料理屋もあり、それが歩道に沿うてずらりと並んでいる、客は暖簾のなかで食べるのである。ビール店に入る、モダンないかもの＊、しかし懸賞に当選した二枚の広告はなかなかよかった、いかものの問題！今氏と話す——珍しく親しみ深い人だ*
——ブルーノ・タウト『日本　タウトの日記　一九三三年』岩波書店、1975年、99頁

1933年5月26日、ブルーノ・タウトは、今和次郎と浅草でビールを飲み交わした。その場に居合わせていたのは、タウトを日本に招聘したインターナショナル建築会の上野伊三郎、ベルリン工科大学を卒業し早稲田大学助教授の白鳥義三郎、今の助手であった竹内芳太郎である。タウトが来日する前、上野は竹内にどのような日本の芸術や文化、特に建築物を案内しようかと相談し、竹内は、茶の湯や能、伊勢神宮や桂離宮などを勧めている。タウトは、上野をはじめとした「案内人」と日本各地を訪れ、自らの眼を頼りに「日本」を再発見していった。今は、そうしたタウトを取り巻く案内人たちの動向を察知していたのではないだろうか。だからこそ、「モダンないかもの」だらけの浅草の歓楽街へタウトを誘い出し、「もうひとつの日本」を案内したのかもしれない。

(中村裕太)

＊　いかもの＝本物に似せたまがいもの。タウトは「キッチュ」という言葉を用いた。

浅草ビール店机上採集
ブルーノ・タウト氏のおてもと
一九三三年、ドイツ人建築家ブルーノ・タウトは、浅草のビール店へ訪れた。氏は同席した上野伊三郎の案内により、桂離宮や秋田の民家などを「再発見」した著作で広く知られている。筆を持つと頑な理想主義者であるが、ビールを飲み交わすと、生活のうちに娯楽性を許していた印象であった。周囲のスケッチは、ビール瓶、グラス、小皿や箸などの器物が、タウトの手もとでどのように移り変わったのかを記録したものである。
テーブルに着くと、竹内芳太郎は、タウトに注文を聞き、白鳥義三郎と品書きを見合い、給仕を呼び寄せた。しばらくすると、トレイに乗ったビール瓶とグラスが運ばれ、乾杯した。続いて、丼鉢に盛られたオデンが運ばれた。タウトは、不器用な手つきで箸を持ち、こんにゃくを小皿に移し「なぜ日本人はビールを飲むときに食事をとるのか」と問うた。
瓶がピッチャーに替わったあたり、タウトは、浅草や銀座に見られる建物の正面を洋風に飾り立てた建築を「モダンないかもの」と切り捨てた。そして、箸袋に収めた箸を手に取り、小皿のこんにゃくを覆い隠してみせた。今和次郎は、関東大震災後、ペンキを片手にそうしたバラック建築に「野蛮人の装飾をダダイズムでやった」と打ち明けると、タウトは「げてものか、はいからか」と苦笑いし、ポテトフライに手を伸ばした。
店じまいのあたり、タウトは、テーブルのグラスや小皿を手もとに寄せ集め、その組み合わせを吟味していた。そして、何度か軽く合点して見せてから「いかものの釣合い」と口にした。しばらくその積み重なった器物に見惚れていると、給仕が会釈をし、トレイに乗せて下げていった。

Q. ご自身の活動と、今回の参加作品（プロジェクト）について教えてください。

大学では陶芸を学び、器やオブジェをつくることから活動を始めました。現代美術にもふれるなかで、焼き物による表現ももっと広がりを持てるのではないかと考えるようになりました。やがて、焼き物の釉薬の質感をどのように見せることが可能かという観点から、タイルに関心を抱きます。そこから、工芸と建築を行き来するような素材としてタイルをとらえ、その研究と制作を続けています。他にも、日本各地の陶片（陶器のかけら）を拾い集め、空間的に構成する作品もつくっています。最近は戦前の工芸や美術の運動を題材に、文献調査やフィールドワークを通じて、かつての工芸運動の動向をあぶり出していくような作品をつくっています。

今回の作品は1933年に来日したブルーノ・タウト[*1]の滞在日記に着想したものです。同年5月、タウトは東京・浅草の歓楽街を数人で訪れ、ビール店でお酒を呑み交わしています。同席者のひとりが今和次郎で、関東大震災以降に「考現学」を始めた人として知られています。タウトは日記でビール店での会話について「いかものの問題！」とだけ記し、今について「親しみ深い人だ」と短く書いていますが、実際に二人はそこで何を話したのか？　これを想像することからこのプロジェクトは始まりました。

実際の展示では、タウトと今が店内で何を飲み、食し、どんな会話をしたのかを関連資料などから想像し、その台本をキャンバスに描き出しました。さらに彼らがその時間をどう過ごしたのかを、僕のつくった陶器製のミニアチュール——ビール瓶やグラス、おでんやポテトフライ——を、時系列順に右から左へ流れるかたちで展示しました。そうして二人が出会った史実をもとに想像力もって読み解くことで、当時を追体験するような作品にしました。また、展覧会場である東京藝術大学の前身・東京美術学校における今の卒業制作《工芸各種図案》もお借りして展示しました。



Q. この作品とPCAFが問いかけたキーワード「これからの社会」「新しい成長」は、どのようにつながると考えますか？

日本では2020年初頭から、コロナが私たちの生活に様々な影響もたらしました。これを社会的・時事的な事象として直接的に作品で扱うことはしませんでした。とはいえ、もともと僕は工芸や陶芸を起点に、生活にまつわる事象をモチーフにしてきているので、なにか間接的に扱えないかなとは考えていました。コロナ禍以降、自分の生活で何が変わったか考えたとき、たとえば1日の仕事を終えて友達と居酒屋で過ごすような経験がなくなったことは大きいと思います。振り返ると、ものをつくるうえではアトリエや書斎での制作だけでなく、誰かと会って互いの考えや活動について話し合う経験もとても大切なものでした。そう考えていたとき、タウトと今が出会って話をしていたという史実は、僕がしたいことをかつての彼らが体現してくれているような感覚がありました。

最近は多くの場面でコミュニケーションがオンラインベースになってしまっていますが、面と向かって話すことや、相手がどんな手つきで何を手にしているのか、どんな表情で何を考えているのか、相対しながら経験していくことの大切さも感じながら、今回の作品をつくっていきました。

ですから僕の場合、「ポストコロナ」に真正面から挑んだというより、自らの日常の延長として制作に臨んだところがあります。現在(編注：取材は2022年1月)はまだポストコロナと呼べる状況に至っていませんが、今後、身の回りの生活が変化するなかで作品をつくっていくときも、やはり対話を通して想像力を膨らませることは重要になると考えます。このプロジェクトがどう完結するのかはまだ見えていませんが、「対話」は今後の自分の制作においても、ひとつのツールになっていくのではと思います。

Q. PCAFの取り組みに対して感じた可能性や課題があれば教えてください。

---

まだコロナの今後が全く見えないなか、かなり早い段階で「ポストコロナ」という言葉を使ったのは、このプロジェクトのひとつの指針でもあったと思います。また、展覧会もコロナ禍中に行われたわけですが、PCAFの役割はさらに映像や書物にもなっていく。そうして記録として残っていくものの大切さも、この取り組みの意味を決定付けていくと思います。僕自身、戦前の工芸運動を調査するとき、当時の書物は一次資料として自分に強く響きます。たとえば100年後の人々がここで記録された映像や書物を見たとき、日本でこうした動きが同時代的に起きていたのだと再発見されていく。そうしたことも、このプロジェクトの意義ではないかと思います。

また今回、東京藝大の学生たちと協働の機会を得られたことは、僕のなかでとても良い経験でした。展覧会が開幕した週末に、会場と本作の舞台になった浅草のビール店をつなぐワークショップを行いたいと考えました。そこで、参加してくれた学生たちと展覧会場に集まって僕が自作を解説した後、浅草までの道のりを一緒に歩きながら、街なかの造形物を見ていきました。かつて今が考現学的に色々なものをスケッチで「採集」したように、街なかのたわいのないものを一緒に見て、話し合えたのがとても良かったです。参加者は映像表現に携わる人や、絵画を手がける人などがいて、同じ街を歩いても各々が見ているものが全く異なることに気づかされます。最後にみんなで浅草のビール店に入ってお酒を飲み交わせたことも、忘れがたい経験になりました。



＊1 ブルーノ・タウト(1880年〜1938年)、ドイツの建築家、都市計画家。1933年に来日して3年半ほど滞在。日本の建築や文化をめぐる論考執筆や、群馬・高崎での工芸品制作を行った。

# 西村 雄輔
# Yusuke Nishimura

## 地の精神
## Spirit of the Land

**にしむら・ゆうすけ**｜1976年福岡生まれ。2001年に東京藝術大学大学院美術研究科修士課程絵画専攻油画修了。2003年より群馬県桐生市の産業遺産である旧織物工場の改修／修繕プロジェクトを手がける。Moriyoshi Reconstruction Project（2003〜2004年、旧森山芳平織物工場）、現在長期に渡り進行中のYAMAJIORIMONO*WORKS（山治織物工場、2006年〜）では、傷んだ木造の建物に工場主とともに実際に手を入れながら、その場所と対話し、ものが語る歴史を読み、今を生きる場をつくる行為の在り方を提示している。

《地の精神》2021年
木材、蜂蜜、映像（11分57秒）

蜂蜜をその身に載せた小さな社《やしろ》が、川の源流から下流へと流れ旅をする。蜂蜜は、周りの景色、動き、空気……様々な状況を取り込み、記憶する媒体である。蜂蜜は「なにか」の精神をうつしている。蜂蜜が川を下り移動してきた地域で得た情報をこの場所に広げる。蜂蜜はここと離れた彼の地へ意識をひろげ、今よりも先へ、未来をまなざすものとして。これから向かう地へと思いをはせ、物語を拡張することができるように。

(西村雄輔)

Q. ご自身の活動と、今回の参加作品（プロジェクト）について教えてください。

---

アトリエで作品を制作してギャラリーで展示する、という活動ではなく、古い織物工場や山林に入り、その場と対話しながら作品をつくるということを続けています。作品の素材としては、生の蜂蜜や土など、また空間そのものを用いることが多いです。

以前は絵画や立体物など、いろいろなものをつくっていました。ただ、やがて、その場で完成して終わりという作品のありかたに疑問を抱くようになりました。作品にかたちが与えられて完結するのではなく、そこからさらに発展して、作品が抽象的な意味で「動き続ける」状態をつくり出したいと思うようになったのです。それによって、過去と現在と未来を同時にその場に存在させたい。こうした考えが現在の活動につながりました。たとえば私が作品で使う蜂蜜という素材は、固まらず、また糖分の集まりなので腐りません。そうした性質から、ある場所に存在する情報を別の場所へと移動させる「移し蜜」としての役割を意識しています。蜂蜜が移動する＝物事が次の場へうつされることで、初めて作品として成立する。そのような使い方をしています。蜂蜜は15年ほど同じものを使い続けています。

私自身も、今は関東に住んでいますが、当然いきなりこの場所にきたわけではありません。多くの存在は、地球の大きな循環のなかでたまたまここに「在る」ということをよく考えていて、今回の出発点もそこにあります。たとえば河川は山中の源流から始まり、上流から下流へと、水と共にさまざまなものが流れていきます。そのさい土の栄養分や種子が移動し、下流の土地で発芽することもあるでしょう。今回まず、そういったことをイメージしました。



他方、私はもともと群馬の桐生市で長くプロジェクトを続けてきました。市内に天満宮のお社があるのですが、もともとは梅田川という川の上流にあったもので、それが川の氾濫で流された結果、今の場所に移ったといういわれがあります。今回はそこから発想を得て、自作のお社を梅田川の源流から実際に流し、その様子を映像で記録しました。梅田川は渡良瀬川につながり、さらに利根川につながって、東京湾へ注ぎます。そのお社がめぐりめぐってここ、上野の東京藝術大学までやってきたというイメージで、美術館の外のグラウンドにお社を制作・展示しました。社の前に掲示したQRコードをスマホなどで読み込むことで、前述の映像も見ることができます。映像のなかでは、最初は15cmほどのとても小さな社が、川を流れていく過程で少しずつ大きくなっていきます。これも先にお話した、過去・現在・未来を同時に存在させたいという私の考えとつながっており、今回の展示は「現在」にあたります。社はここにひととき立ち寄ったのち、さらにまたどこかへ行くのかもしれません。

実際に、プロジェクトとしてはこの社がまた各地へ移動してくことも考えています。また、社のなかには蜂蜜が設置してあり、移動するなかで、その場その場の有形無形のさまざまなものを取り込んでいくでしょう。そして、社が大きくなっていくと同時に、蜂蜜も社から社へ移動します。そこでイメージするのは、伊勢神宮の式年遷宮のようなもので、この場合は神様ではないのですが、受け継がれてきた「思い」のようなものを蜂蜜と共に移動させられたらと考えました。私は、こうした過程も「成長」としてとらえうると考えています。

Q. この作品とPCAFが問いかけたキーワード「これからの社会」「新しい成長」は、どのようにつながると考えますか？

---

始めにお話をいただいたとき、この基金の成り立ちに加えて、「新しい成長」というキーワードに惹かれたのが、参加を決めるきっかけになりました。では「新しい成長」とは何かというとき、単に新しいものをつくり続けるというより、原点回帰というか、過去のことや先のことも見つめながら考え続けなければいけないと思いました。それが、川の上流から始めるという今回の作品にもつながっています。

コロナ以降、これまでのようには人と直に会えないような日々も経て、「遠くに意識を拡張させる」「思いを馳せる」という意識が自分の作品の中に出てきたようにも思います。社会的な出来事に接続するという意味ももちろんありえますが、私の場合はとくに精神的な面で、それを感じています。その点では、コロナ禍だからできてしまった作品とも言えそうです。

Q. PCAFの取り組みに対して感じた可能性や課題があれば教えてください。



---

今回、私は東京藝大の教員として、PCAFと同大学の早期教育プログラム（リサーチ・プログラム）の連携にも関わりました(p.141参照)。こうした試みが「コロナ後」のつながりとして、より広がりを生み出せるならと思います。また、もしPCAFの取り組みが今後も何らかの形で続くのであれば、先ほどお話した過去・現在・未来のつながりという点で、やはり今回の試みがうまく引き継がれると素晴らしいと思います。「ポストコロナ」の時代がいつ訪れるのかは、まだ誰にも想像できない。そのなかでの取り組みですから、もう少し時間が経ってみないとわからないことも多いと思います。だからこそ期待するのは、こうした取り組みが今後も続いてほしいということです。その意味においては、PCAFで始まった試みが、ずっと「ポストコロナ」を探り続けてほしい。完成されたものの中には、未来はあまりないのではとも思います。むしろ未完のものとして提示することによって「次」を予感させ、さらにこうしたら良いのでは、という考えや取り組みが生まれればと思うのです。

# 長谷川 愛
# Ai Hasegawa

## 富士山噴火茶席
## Mt.Fuji Eruption Tea Ceremony

**はせがわ・あい**｜アーティスト。生物学的課題や科学技術の進歩をモチーフに、現代社会に潜む諸問題を掘り出す作品を発表している。IAMAS卒業後渡英。2012年英国Royal College of ArtにてMA修士取得。2016年MIT Media LabにてMS修士取得。2017〜2020年、東京大学にて特任研究員。2019〜2021年、早稲田大学非常勤講師。2020〜2022年、自治医科大学と京都工芸繊維大学にて特任研究員。《(不)可能な子供/(im)possible baby》(2015年)が第19回文化庁メディア芸術祭アート部門優秀賞を受賞。森美術館(東京)、アルスエレクトロニカ(リンツ、オーストリア)など国内外での展示多数。著書に『20XX年の革命家になるには —— スペキュラティヴ・デザインの授業』(ビー・エヌ・エヌ新社、2020年)がある。

《富士山噴火茶席》2021年
映像、茶道具、キャンプ用品、カード、筆記用具、インスタレーション、パフォーマンス
協力 ： 京都工芸繊維大学 デザイン主導未来工学センター KYOTO Design Lab 、寺田倉庫／茶室建築：佐野文彦／茶人 ： 松村宗亮／和菓子 ： 紫をん／ゲストスピーカー：藤田英輔（防災科学技術研究所）／茶会映像制作：栗原 勲、加藤公和（F&S CREATIONS）、佐藤なつみ

政府がハザードマップを公開するほど噴火の可能性を認められながらも、平和な日本を象徴するかのように表象される富士山。これを例に「灰色の犀《さい》」(リスクが認められていながら軽視されている)について考えるための茶席です。私達はどのようにリスクと背中合わせの日常を意識しながら前向きに生きるのでしょうか。東京も火山灰によるインフラや物流停止の恐れがあります。噴火について物語る茶道具と共にお茶会の対話は進み、最後に亭主からいくつかの問いかけがあります。今回はいくつかの問いと答えを書き込むカードを用意してあります。書き入れたあと、富士山に見立てた巨大なクラッカーの中に入れてください。いつか噴火するかもしれません。(長谷川愛)

国立研究開発法人 防災科学技術研究所
藤田 英輔
地鳴りがするというか、地震が起こったり、

新しい生活は
あなたのどんな
価値観を変えて
いくと思いますか?
辛かった時
どのように
自分をケアして
生きてきたのか
教えてください
あなたはこれから
流浪の民として
誰とどのように
楽しく生き延びて
いきたいですか?
人に話す。
お酒を飲む。
散歩をする。
サウナ

新しい生活は
あなたのどんな
価値観を変えて
いくと思いますか?

Q. ご自身の活動と、今回の参加作品(プロジェクト)について教えてください。

---

私たちの生活が科学技術とどう関わり、どう変わっていくのかに関心を抱いています。技術の発展が不可能を可能にし、問題を改善して価値の転換をもたらすことと、それらをめぐって私自身が疑問に思うことをリサーチして、作品をつくってきました。

たとえばそのなかに「同性間で子供をつくることがありえる未来」を考えた作品があります。実際にiPS細胞研究が進めば可能性はあるとされ、そうなると「家族」をめぐる考え方も変化していくでしょう。一方で、技術が開発されていても社会の倫理観や価値観が変わらない限り使うことが許されない技術もある点で、技術と価値観は人間社会が前進するための両輪だと思います。そこで、これらに文化的側面からアプローチし、科学技術が実現しうる将来を考える「準備」ができたらとの思いで活動しています。また、そこに女性の視点から提示できることもあると考えています。

今回の作品は、災害について文化的、技術的な視点で改めて考える試みです。富士山が遠くない将来に噴火する可能性については、実際に研究者が懸念を示し、政府も関連情報を発信しています。しかし今回のコロナ禍も、以前から研究者間では十分ありえるとされながら、実際に発生するまで対処できなかったことが多くありました。そこで今、東京でコロナ禍に重ねて発生し得る大きなリスクを、たとえば富士山の噴火という事象を想像することから考えてみようと思いました。



今回はそれをお茶会というかたちで試みました。そのために建てた茶室の名前「灰犀庵」は、「灰色の犀《さい》」という言葉に由来します。皆が軽視しているけれど、ひとたびそれが起きれば重大な事態を引き起こすリスクを指す言葉です。この茶室を使い、茶人の松村宗亮氏、防災科学技術研究所の藤田英輔氏、この茶室を設計した建築家・佐野文彦氏、そして私というメンバーでお茶会を開き、富士山噴火時のリスクをめぐって話し合いました。お茶会の形式を選んだ理由のひとつは、茶席では「この席は何がテーマなのでこのお道具(軸、茶碗、茶杓、釜など)を揃えた」といった会話がなされるように、具体的なオブジェクトを手がかりに話を進めていく形式が、災害について具体的かつ和やかに話すのに有用だと思ったからです。

茶道具はいずれも噴火を語るための模型や、日常のリスクを表す機能をもたせてデザインしています。茶碗は、富士山噴火後のシナリオを2つ用意し、各々の結果として変形する山の姿を3Dプリンタで成形しています。このシナリオでは、火山灰が降り積もる、新幹線などインフラが止まる、さらに国内が東西に分断されるなどの想定もなされます。また、湯気が立ち昇る茶釜の蓋は、新たに生まれる噴火口をかたどったものです。今回の展覧会では茶席での対話の映像に加え、茶碗やお軸も展示しました。加えて、富士山噴火時は数時間前に予告警報が出せるかもしれないと言われていることから、たとえば5〜6時間後に噴火するというニュースが出たとして、東京にいる私は何をするだろう?というシナリオで、家族とのやりとりの携帯画面の映像も流しています。

もうひとつ、大きな災いに遭遇した際の皆さんの考えを尋ねる仕組みも用意しました。会場には3つの質問を記したカードがあり、来場者はそれに回答し、いつ「噴火」するかわからない巨大クラッカーの上に置いていきます。噴火を模した巨大クラッカーはランダムに(5〜6時間前には噴火予報警告が出されている)カードを宙に弾き上げます。

質問内容はそれぞれ「新しい生活はあなたのどんな価値観を変えていくと思いますか?」「辛かった時、どのように自分をケアして生きてきたのか教えてください」「あなたはこれから流浪の民として誰とどのように楽しく生き延びていきたいですか?」としました。

Q. この作品とPCAFが問いかけたキーワード「これからの社会」「新しい成長」は、どのようにつながると考えますか?

---

災害や厄災は人間にとってネガティブなものですから、じつは自分の作風とは相性がよくないなと悩みもしました。ただ、レベッカ・ソルニットの著作『災害ユートピア』(亜紀書房、2010年)で指摘された、大災害後の一時期に人々が利他的に助け合うような現象もあります。どんなに備えても災害が起きてしまう可能性があるなら、そこから何かが前向きに変わるきっかけや、新しい未来の一端をとらえることはできないかと考えたのです。

たとえば従来は百年に一度とされたレベルの台風や水害が、気候変動などの影響で頻発するようになると、誰もが災害難民になりえるかもしれません。そこでサバイバルをしながら、楽しく暮らせるあり方は可能なのか。これを皆さんにイメージしてもらうのが、このプロジェクトの本当の目的だと考えています。私のなかでは「ノマディック・テクノ・ヒッピー」という言葉が浮かびました。たとえ大災害やディストピア的状況に遭遇しても、テクノロジーを活用して生き延び、つながり合い、状況に応じて遊動しながら豊かな生を生きていく新たな種族《トライブ》——。そんな未来を想像するとき、その実現にはどんな技術や文化、マインドが必要でしょうか。そこでは『方丈記』の鴨長明が暮らした方丈庵や、茶会を野外で行う「野点《のだて》」など従来の営みもヒントになりそうで、そうした要素を更新していくテクノロジーはありえるのかなど、さらに考えたいと思っています。



その際、起こりうるネガティブな事態に対して、いかに精神的な強さを保てるのかも重要でしょう。今回のお茶会について、精神科医の友人が「未来の災害のトラウマケアをしている感じ」と評したのは興味深かったです。それが今回、どのように自分をケアしてきたのかとの問いを前述の質問群に含めたことにも関連しています。来場者の皆さんにも、互いの生き抜くうえでの知見を共有してもらえたなら嬉しいです。

そして問いといえば、PCAFの言う「新しい成長」とは、「皆さんの次の生き方はどんなものですか」という大きな投げかけだと、私は思っています。

# 布施 琳太郎
## Rintaro Fuse

# 僕のいない教室に
# 射した言葉の水面をすべる船
## Telescopic Confession

108

**ふせ・りんたろう**｜1994年生まれ。2017年東京藝術大学美術学部絵画科（油画専攻）卒業。現在は同大学大学院映像研究科後期博士課程（映像メディア学）に在籍。洞窟壁画をはじめとした先史美術についてのリサーチとiPhoneの発売以降の社会の分析を下敷きに、絵画やインスタレーションなどの作品制作、展覧会の企画、運営、キュレーション、そしてテキストの執筆を行っている。主な展覧会企画に「iphone mural（iPhoneの洞窟壁画）」（BLOCK HOUSE、東京、2016年）、「新しい孤独」（コ本や、東京、2017年）、「ソラリスの酒場」（the Cave/Bar333、神奈川、2018年）、「The Walking Eye」（横浜赤レンガ倉庫、神奈川、2019年）、「余白／Marginalia」（SNOW Contemporary、東京、2020）、「隔離式濃厚接触室」（ウェブページ、2020年）、「沈黙のカテゴリー」（クリエイティブセンター大阪、大阪、2021）、「惑星ザムザ」（小高製本工業株式会社跡地、東京、2022）など。

《僕のいない教室に射した言葉の水面をすべる船》
2021年
ニューラルエンジンによる画像生成を用いたフレーム補間によって0.1秒（2フレーム）の動画ファイルを引き伸ばした複数の動画ファイル、画像ファイル、液晶ディスプレイ、メディアプレイヤーなど

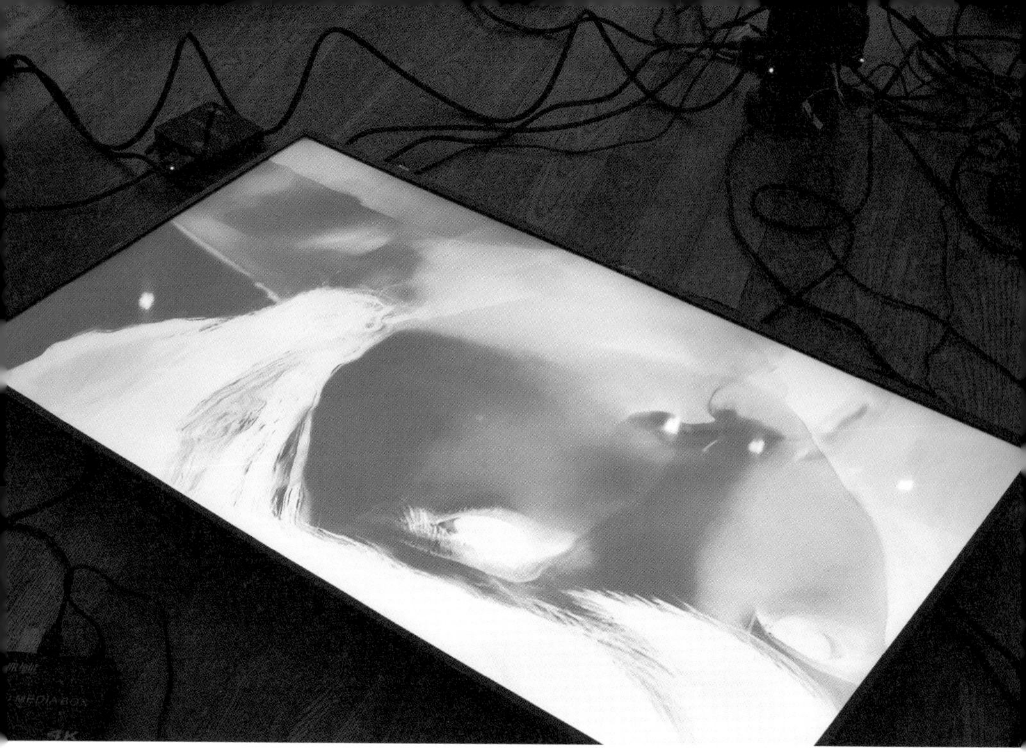
MEDIA BOX

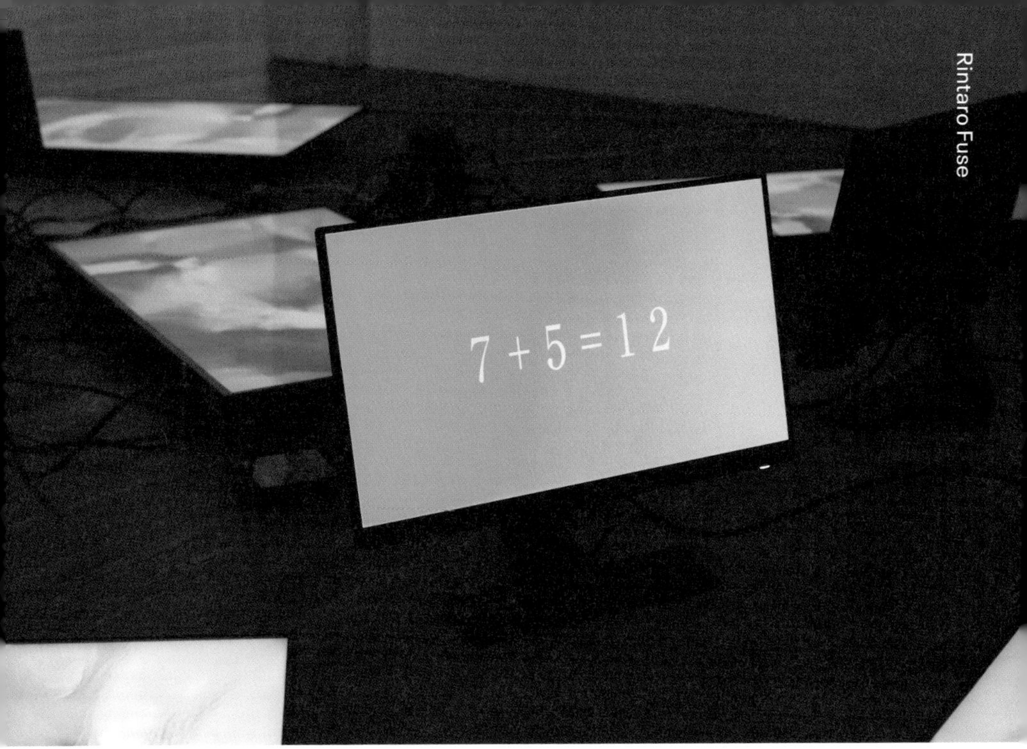




ZOOMをはじめとしたWeb会議サービスは、大学の講義から飲み会まで、ひろく援用されるようになった。そのインターフェイスは、視聴者を含めた複数の「顔」をこちら向きに整列させ、格子状に並べる。そのため旧来の大学における時間と空間の伸縮講義が終わって食堂で恋人とデートの計画を立てていると、遠くに、さっきまで教壇に立っていた教授がiPhoneを見ながら昼食を取るのが見えるようなは存在しない。本作は、そうした格子状の時空間が、別の仕方で伸縮する可能性を表示する水平なディスプレイ群＝詩である。それは作者自身の個人的な経験に基づく2枚の画像を、コンピュータによる演算を介して引き伸ばすことで、作者の身体から隔絶されて持続／振動する映像へと変質させたものだ。　（布施琳太郎）

Q. ご自身の活動と、今回の参加作品(プロジェクト)について教えてください。

---

主にiPhoneが登場して以降の都市における、「新しい孤独」をキーワードとして活動しています。絵画や映像などの制作に加えて、他のアーティストたちとの展覧会をつくったり、批評や詩、小説を執筆したりしています。

《僕のいない教室に射した言葉の水面をすべる船》は、大小12枚のディスプレイを床に並べたインスタレーションです。僕は大学院生でもあり、コロナ禍以降はウェブ会議用サービスをリモート講義や友達との交流で利用することも増えました。今回は、こうしたサービスが生活に寄与する一方で、何が変わったのかという問題意識から出発しました。

コロナ以前の大学では、講義室の壇上に立つ教授に対して学生たちのまなざしが一斉に注がれるような時間も、少人数のグループがじっくり議論するゼミ形式の講義もありました。また、学食では友人たちとご飯を食べ、この後どこへ遊びに行こうかと話したりするなか、先ほど講義していた教授が近くで食事しているのが見えたりもする。こうした多様な時間・空間の交差する場であることが、大学の魅力だったように思います。

対してウェブ会議サービスでは、参加者は画面上で格子状に並べられ、また無料プランだと時間制限があるなど、時間と空間が一律に区切られることに違和感がありました。そこで、同じ四角いディスプレイを使いつつ、時間と空間が伸び縮みするような場のあり方を示せないかと思ったのです。

まず、2枚の静止画を0.1秒ずつ表示する動画をつくりました。さらにその動画を、ニューラルエンジンを用いて2分間、1時間、あるいは24時間などさまざまに引き延ばしたビデオファイルをつくりました。このとき動画1秒につき画像が28枚必要なので、これを人工知能の自動生成画像で補完します。その過程で、水面に映る景色に石を投げ込んだように、最初のイメージは壊れていきます。これは時間や空間をめぐる、広がりのあるモチーフになると感じました。

ディスプレイを小型の5枚と大型の7枚で構成したのは、5と7を繰り返していくと短歌や俳句になるし、全音7つと半音5つで1オクターブになるので、作品から何か詩的なものや、リズム、メロディが立ち上がるとよいなとの考えもありました。たとえば芭蕉の俳句「古池や蛙飛びこむ水の音」の感覚を、床のディスプレイ群を見るなかで感じてもらえたりするといいな、と思ったのです。



Q. この作品とPCAFが問いかけたキーワード「これからの社会」「新しい成長」は、どのようにつながると考えますか?

---

もともと、インターネットのなかでどんなコミュニケーションやコミュニティが可能なのかという関心がありました。また、コロナ禍で「当たり前」になったことが僕らの

心のなかの変化につながるとき、それは日々用いる道具の変化にも関わると思うのです。そうした意味で、今回ウェブ会議サービスを出発点にしたのは、ひとつの応答にはなったかと思います。

また、「成長」という言葉はとても上向きの言葉ですが、僕自身はこれとは対照的に見なされがちな「孤独」や「沈黙」などにもポジティブな価値があるのではと考える人間です。孤独という言葉に関心を持ったのは、ひとつには自分が孤独を通じて、年齢も社会的な環境も違う人たちと出会い、親密になれた実体験があったからです。たとえばインターネットのSNSに言葉や写真を投稿することで、自分の存在を肯定される感覚をもつ人たちがいます。なかには、人間にとって一番大事な生の喜びのようなものを、その投稿に託しているような人もいます。自分以外に誰もいない部屋から、1枚の写真がSNSに着地することが、すごくロマンチックで特別だと思える——そうした感覚を肯定したいなと思ったのです。

そして、自分のアーティストとしての活動においても、同じようなものがあるのではと考えます。そこで何が賭けられ、あるいは何が回復され、救われているのだろうということを、人生を通じて考えたいと思うようになりました。そのときに、「新しい孤独」という言葉を使うようになったのだと思います。

そこでの孤独とは完全な隔絶ではなく、目の前にいない他の誰かとのつながりもあり得るでしょう。また、人間ではないシステムやプログラムに自分の一部が組み込まれていくような感覚や、iPhoneと自分だけから成る「コミュニティ」があり得るとしたら、というようなことも考えます。そしてそれは、長らく人知れず存在していた先史時代の洞窟壁画をめぐってコミュニケーションや時間の交流を考えることや、現代の夜の街で家に帰るでもなく、飲食店に入れるわけでもなくたむろするような若い人たちに語りかける言葉を考えることにも、つながっているのではと思います。



### Q. PCAFの取り組みに対して感じた可能性や課題があれば教えてください。

嫌味ではなく文字通りの意味でとらえてほしいのですが、こうした新しい動きや団体をつくることが、新しい権力の発明になりえるのかどうかに関心があります。アート業界はやはり作品の価格や、売れる・売れないがひとつの権力・権威の形式になっていると感じます。それこそ大学はこうしたものとは異なる権力・権威をずっと担ってきたはずですが、実際に経済的な価値に対抗できるものであり続けているのかは疑問もあります。ですからPCAFのような動きから新しい関係や力が生まれ、そこから単なる作品の値付けではない価値観が垣間見られるなら、ひとりのアーティストとして希望がもらえるかなと思っています。

# 毛利 悠子

# Yuko Mohri

## Untitled (Voice and 9 Receivers)

**もうり・ゆうこ**｜1980年神奈川県生まれ。東京在住。コンポジション（構築）へのアプローチではなく、環境などの諸条件によって変化してゆく「事象」にフォーカスするインスタレーションや彫刻を制作。主な個展に、「Parade（a Drip, a Drop, the End of the Tale）」（ジャパンハウス サンパウロ、2021年）、「毛利悠子：ただし抵抗はあるものとする」（十和田市現代美術館、2018年）、「Voluta」（カムデン・アーツ・センター、ロンドン、2018年）。ほか、「第23回シドニー・ビエンナーレ」（オーストラリア、2022年）、「第34回サンパウロ・ビエンナーレ」（ブラジル、2021年）、「グラスゴー・インターナショナル2021」（イギリス、2021年）、「リヨン・ビエンナーレ2017」（フランス、2017年）など、国内外のグループ展への参加多数。2017年に第67回芸術選奨文部科学大臣新人賞を受賞。

《Untitled (Voice and 9 Receivers)》2021年
モーター、スピーカー、三脚、紙、コンピュータ、トランスミッター、ケーブル、磁石、オーディオアンプ、ラジオ
声・メロディカ：つむぎね／録音・マスタリング：大城真／エンジニアリング：nomena／スタッフ：東出菜代、敷根功士朗

*「電話のあなたの声はとても歪んでいて、とても低くて、あのあと私はずっと大きな苦悩の状態のまま取り残されました。声というものの物理的接触は実に強くて、あたかもその場にいるかのようだから、書いた言葉の虚しさに気づかされます。私の苦悩は、あなたの苦悩を実に痛切に感じ取ったがゆえの、その苦痛の反響で、私たちふたりがふたたび立ち直るにはいったいどうすればいいのか、私には本当にわかりません」*

――マルセル・デュシャンからマリア・マルティンスへの手紙、1951年5月13日[*1]

この、デュシャンらしからぬ情熱的な悲恋の手紙がマルティンスへ宛てて投函されたのは、1951年、第1回サンパウロ・ビエンナーレが開かれる直前のこと。マルティンスが外交官の夫とともにブラジルに戻ることで生まれた決定的な距離《ディスタンス》が「地理的な障害物」(マイケル・R・テイラー)[*2]となり、この秋、ふたりの関係は完全に破綻した。デュシャンはかつて《大ガラス》において、男性(独身者たち)と女性(花嫁)とのあいだに横たわる距離を形にしていた。作品において、男性の欲望は目にみえない「飛沫」となってさまざまな機関をかいくぐり抜け、最終的に、女性の領域に9つの射撃痕を残す。それらは最終的に、女性が自発的に服を脱ぐための、間接的な、見えない力となるだろう。

■

このCovid-19の時代、私たちはどれだけ見えない存在について、思いを馳せただろうか。見えないウイルスを避けるため、私たちには決定的な距離が生まれた。インターネット回線を通じたコミュニケーションの虚しさに気づかされ、あたかもその場にいるかのような声の物理的接触を求めた。声、そして欲望とともに発せられる飛沫はウイルスを運ぶメディウムとなり、人々の距離をますます遠ざける。距離にかき消された声は歪み、大きな苦悩の状態に取り残され、いったいどうすればいいのかわからなくなる――。

歪む声、見えない飛沫、そして距離をかいくぐる射撃痕を、回転スピーカー、ケーブル、ラジオによって作品化した。

(毛利悠子)

＊1 右記文献より和訳(翻訳:中野勉) Michael R. Taylor ed. *Marcel Duchamp: Étant Donnés*. Yale University Press, 2009. English translated by Paul Edwards

＊2 前掲書

Q. ご自身の活動と、今回の参加作品(プロジェクト)について教えてください。

もともと音楽が好きで、大学でサウンド・インスタレーションやメディア・アートを学ぶうちに、デバイスや様々な現象を用いたインスタレーション、キネティックな彫刻をつくるようになりました。これまで使われてこなかった要素を素材にすることを含め、新しい彫刻のかたちを探りたい思いもあります。

私は多くの場合、現場に赴き、その場所の歴史や空気、展示空間の環境などをリサーチしながら作品を組み上げます。しかしコロナ禍以降、この2年は現地入りできないことが多く、特に海外展ではリモートで対応するしかない状況が続きました。この、距離に苦しんだ状況自体を作品にできたらと取り組んだのが、今回のサウンド・インスタレーションです。

3つの展示台には、それぞれ異なるデバイスが置かれます。回転しながら音を発するスピーカー、コイル状に巻かれたケーブルの中央に磁石を吊るしたもの、そして9つのラジオ受信機です。これらは同じトランスミッターからのラジオ波によってシンクロしています。

再生される音は、ボイス・パフォーマンス・グループ「つむぎね」の協力を得て、彼女たちの声で様々な音を出してもらったものです。呼吸音、話し声、サンプリングした言葉——私がよく参照するアーティスト、マルセル・デュシャンの声なども使っています。いずれも再生デバイスを通じて歪み、コミュニケートするには難しいものですが、むしろ音の歪みや雑音によって、声の存在感がユニークな音像として独立する状況に興味がありました。



じつはPCAFと並行して準備を進めた第34回サンパウロ・ビエンナーレにも、本作と近い作品を出展しました。当初予定の2020年開催がコロナで1年延期され、毎週Zoomでブラジル側とやりとりしつつ制作を模索しましたが、現地入りは難しくなりました。リサーチも遠隔だと限界があります。他方、当時は自宅からインターネットで様々な映像を観ていて、そのひとつに晩年の鈴木大拙が登場するTV番組がありました[*1]。収録スタジオに招かれた鈴木が生放送で縁のある人々と語らうこの映像には、彼がアメリカの知人と国際電話で対話する場面があります。国際電話の音が聞き取りづらいのか、大拙が「I can't hear you very well.」と繰り返すのが印象的でした。その言葉が、通信技術は進化したものの、時差もあり、対面とは勝手が異なるコミュニケーションに格闘する私自身の現状と重なる感覚があったのです[*2]。

なおサンパウロ・ビエンナーレに関連して言えば、その第1回(1951年)の実現に貢献したひとりが、デュシャンの恋人だった彫刻家、マリア・マルティンスでした。彼女がブラジルに帰国するタイミングで二人の関係は破局を迎えますが、その別れ話もニューヨークとブラジル間の国際電話でなされました。デュシャンは後の手紙で、未練がましく「声の存在感」に言及しています(p.118の作品解説参照)。

## Q. この作品とPCAFが問いかけたキーワード「これからの社会」「新しい成長」は、どのようにつながると考えますか？

私の場合は美術家としてですが、お話ししたような圧倒的な距離感のなかで、自分の仕事における醍醐味が失われたのはとても辛いことでした。現地の環境や文化、人々との相互作用や循環を通じた制作とは、完全に断絶してしまった感があったからです。それだけに今回、久しぶりにこうした機会をもらって展示ができたことは、本当に幸せでした。

現場では常に想定外の現象も生じるものです。今回は会場が都心だからか、ときにラジオ受信機が想定外の電波も拾い、歌声やニュースが混入してくるのに気付きました。また、周囲に人が大勢いると、それがアンテナとなって音が変化することもある。ただ、最終的にそれらも作品の一部にしようと決めました。こうした相互作用も私にとって重要だと、あらためて強く感じたのです。

この判断は、距離による様々な困難を経験し、思いどおりにならないことが多かったこの2年間で鍛えられた一面でもあるかと思います。早くまた各地を訪れる制作に戻れたらと思いつつ、コロナ禍の日々で培ったものを自分の表現にどう組み込めるかということも、今考えています。

## Q. PCAFの取り組みに対して感じた可能性や課題があれば教えてください。



ここしばらくは、同じ展覧会の参加アーティスト同士でも直接話すことの少ない日々でした。ですから今回、この状況下で現場に入り、多様なアーティストと出会えたことが、私にとっては本当に嬉しかったです。さらに作品を通じて、自分と重なる部分もそうでない部分も、「この2年間こんなことを考えて活動を続けていたんだ」というのが肌で感じられる。そのことを興味深く、かつ力強く感じました。そう考えると、緊急事態という困難な状況において、創造性のパンデミックとでも言うべき可能性はあるのではとも思いました。

そして、PCAFのゴールは展覧会ではないとも感じています。こうした状況下で、私たちが今互いに考えていることをいかにシェアできるかを探る場でもあると思うし、そのためにまた違う形があってもよいのかもしれません。そして今後こうした支援がより充実していくと、若い世代の活動もいっそう活性化するのではと思います。

＊1 「ここに鐘は鳴る」NHK、1959年。鈴木大拙（1870～1966年）は仏教学者。日本の禅文化を海外に広く紹介したことで知られる。
＊2 同ビエンナーレでの毛利作品は最終的に制作を日本で行い、現地スタッフにより設営・展示された。

# 百瀬 文
## Aya Momose

## Flos Pavonis

**ももせ・あや**｜1988年東京生まれ。近年の主な個展に「I.C.A.N.S.E.E.Y.O.U」(EFAG、東京、2019年)、「サンプルボイス」(横浜美術館アートギャラリー1、神奈川、2014年)、主なグループ展に「彼女たちは歌う」(東京藝術大学美術館陳列館、東京、2020年)、「六本木クロッシング2016展：僕の身体、あなたの声」(森美術館、東京、2016年)、「アーティスト・ファイル2015 隣の部屋 —— 日本と韓国の作家たち」(国立新美術館、韓国国立現代美術館、東京、2015～2016年)など。2016年度アジアン・カルチュラル・カウンシルの助成を受けニューヨーク(Triangle Residency)に、その後ソウル(SeMAレジデンシー)に滞在。2019年、イム・フンスン氏と共同制作した《交換日記》が全州国際映画祭(JIFF)に正式招待される。

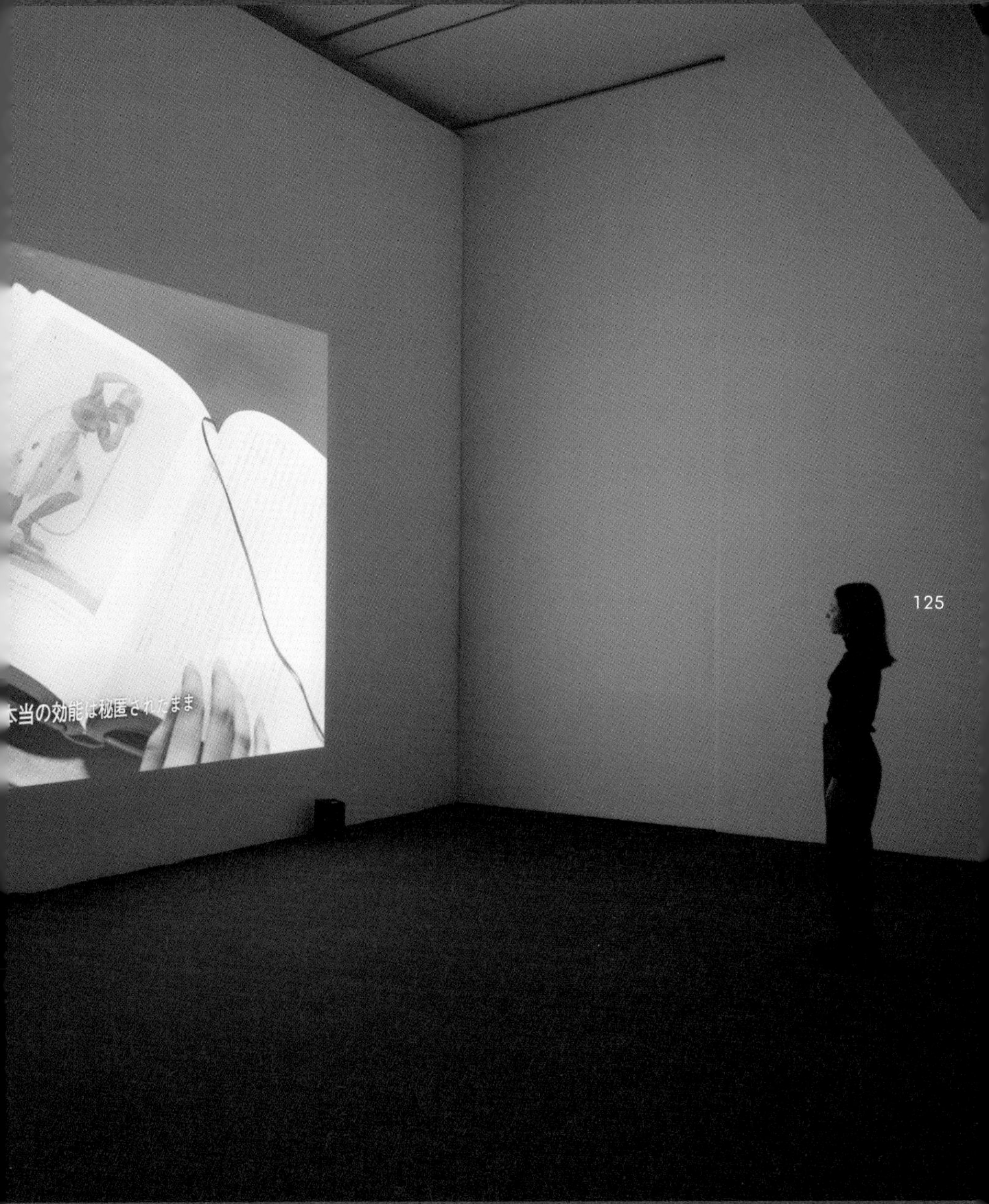




《Flos Pavonis》2021年
シングルチャンネルビデオ、30分

126

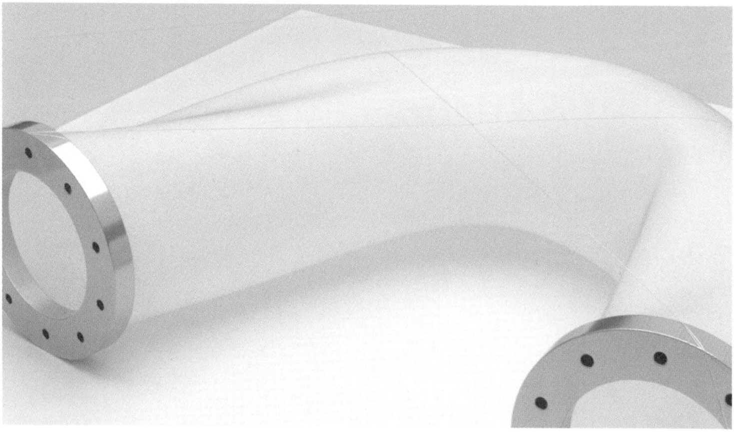

2021年1月、コロナ禍の中のポーランドで実質ほぼ全ての人工妊娠中絶を禁止する法律が施行された。日本に住む女性と、ポーランドに住む女性との往復書簡のような形で物語は進む。かつて植民地下のカリブ海地域に連れてこられた黒人奴隷たちが堕胎薬として使用していた植物“Flos Pavonis”を手掛かりに、ふたりは言葉を紡いでいく。時に内省的な独り言のように語られる言葉とイメージを行き来しながら、人類にとっての未曾有の危機の前で国家に管理され、翻弄される身体器官としての「子宮」の存在を浮かび上がらせる。 （百瀬文）

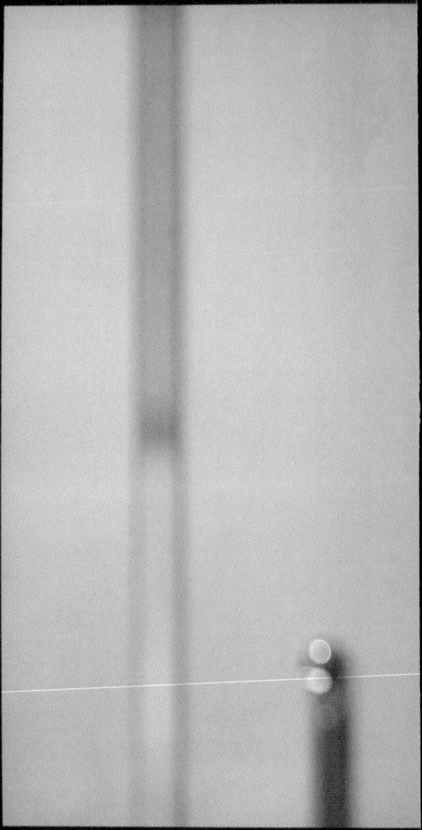

Q. ご自身の活動と、今回の参加作品（プロジェクト）について教えてください。

主に映像メディアを用いて、身体とそれをめぐる「声」やセクシャリティの問題などを扱う作品をつくっています。もともとは油絵出身で、やがてパフォーマンスを始めたとき、記録メディアとしてビデオを使い始めました。自分のリアルな身体と生活との関わりが気になり始め、それを探る際にカメラのもつ他者性を積極的に取り入れたくなったということかもしれません。重要なのは、自分の目とは別のものも通して考えることだったと思います。

しかし、映像の自己言及性に対する自分の初期の実践はモダニズム的なアプローチだとも感じていて、どこか借り物の言葉でつくっている感覚もありました。そうしたなか、2017年に助成を得てニューヨークに滞在します。そこで自分のアイデンティティである「日本人」「女性」などを自覚した一方、そうした属性が常に「タグ」として貼り付けられ、私という個よりもまず「日本人女性として何をするのか？」を問われる辛さもあり、アンビバレントな気持ちで過ごしました。こうした体験を経て帰国してからは、自分が感じてきた社会的抑圧のようなものに目を向けつつ、「私たち」が連帯するとき取りこぼされる個の声も大事にしながら制作しています。

今回の作品《Flos Pavonis》も、軸となるのは女性の個別の声で、同時に普遍性を持って遠くまでつながるものを扱おうとしています。きっかけとして、2021年1月にポーランドでほぼ全ての人口中絶を禁じる法律が成立した出来事がありました。コロナ禍の最中にこうした法案が通ってしまうことを少し恣意的に読み取れば、人口が減り続ける現代社会において、女性は人口維持のための装置として機能せねばならないという思想の存在も想像しえると思いました。そこで、これをフィクションの映像作品として考えてみました。



映像はポーランドの女性・ナタリアと日本の女性・アヤが交わす往復書簡を軸に進み、そこへ様々なイメージが重なり合っていきます。作中のキャラクターは、実際にポーランドの女性の友人に今考えていることなど色々と話を聞きながらつくり上げました。

作品名のFlos Pavonisは植物の名前で、そのオレンジ色の花がヨーロッパでは観賞用に消費されてきました。他方で植民地時代、この花は黒人奴隷のあいだで堕胎効果のある薬草だと信じられ、領主国の主人に孕まされた女性たちが使ったそうです。しかしヨーロッパに輸入されたとき、この知識は隠されてしまいました。カトリック地域で不都合な知識だったのでしょう。そして現代も、女性が自分の身体のことを自ら決定する権利や、そのための知識が奪われることは起きていると感じます。ポーランドの出来事も、また日本で緊急避妊用ピルが市販されないことなども、女性の意思が軽んじられる状況の一端だと思うのです。

さらに、自分の身体が何者かに管理されているような状況は、コロナ禍で男女問わず誰もが経験していることとも親和性があると言えます。ロックダウンや外出制限などがそうですし、世相の一部がそうした厳しい管理を望んでもいる点も共通するでしょう。

Q. この作品とPCAFが問いかけたキーワード「これからの社会」「新しい成長」は、どのようにつながると考えますか？

---

この状況下で強く印象に残ったのは、感染予防のためにマスクを付ける、人との距離は空けるなど、ある画一化された規範が急に広がったことです。たとえば私は耳の聴こえない方と作品をつくったことがありますが、彼らのなかには人の肩を叩いて注意を向けてもらおうとする人もいますし、目が見えない人は外界との接触行為によってしか物事を把握できない場面も多いと思います。その接触がとにかく悪だとなってしまうと、個別の身体や事情に対する想像力が急速に失われるように思うし、この点は「ポストコロナ」の社会においても危惧しています。そこでこぼれ落ちるものを何とか拾い上げていけないか、と考えざるをえません。

また、従来の加速し続けるような成長観や、才能や経済力を資本にした椅子取りゲームのような世界にとどまる限り、私たちは自ら望ましくない変化に加担してしまうのではと考えることもあります。他方、いわば生き物が「成長」するときのような意味合いで考えると、新しい成長とは、私たちが今まで疎かにしていた自分の時間を、各々できちんと保ちながら生きるということかもしれません。コロナ禍の自粛生活において、私は仕事とそれ以外の時間が混交する日々に戸惑いもしましたが、そこには気づきもありました。従来通りの営みが困難になった状況も、人生のサバティカルのようなものとして、いくらかは肯定的にとらえられたらと思いました。そして、私たちの時間の感覚そのものも大きく変わったのであれば、その新しい時間に見合った、新しい考え方、生き方も必要ではないでしょうか。

私たちはどうしても、今現在の、自分のかけがえのない生を考えることだけで精一杯になりがちです。今回のコロナ禍も、人類が初めて直面する未知の危機とされていますが、たとえばペストや飢饉のようにかつて起きたことと現在を結びつけることにも、未来を考える際の可能性はあると思います。「いま、ここ」だけに目を向けるのではなく、過去や未来とも接続したものとして現在を考えるとき、それは「ポスト」という言葉に値するものになるのではと考えています。

# 柳瀬 安里

## Anri Yanase

## そこに、なにが映っていても目に見えない

No matter what you see there, it is not visible



**やなせ・あんり**｜1993年埼玉県生まれ。2016年京都造形芸術大学美術工芸学科現代美術・写真コース卒業。身の回りの出来事を出発点とし、それが何なのかを考えるため、知るためのひとつの方法として作品を制作している。知ったかぶりすることなく反応することを大切にしたいと思っている。近年の参加展に、『Oh！マツリ☆ゴト 昭和・平成のヒーロー＆ピーポー』（兵庫県立美術館、兵庫、2019年）、『現在地：未来の地図を描くために［1］』（金沢21世紀美術館、石川、2019年）、『Gallery selection: Video works』（ギャラリー小柳、東京、2019年）、『ニューミューテーション#3　菊池和晃・黒川岳・柳瀬安里』（京都芸術センター、京都、2020年）などがある。

《そこに、なにが映っていても目に見えない》2020～2021年
布、アセトン、手紙、モニター

ドイツの西部にある都市ザールブリュッケンには《2146個の石――ザールブリュッケン反人種差別警告碑》というものがある。一見するとなんの変哲もないただの石畳なのだが、これは、1990年から1993年にかけてヨッヘン・ゲルツと地元の造形大学の学生たちによって共同制作されたものだ。ゲルツと学生たちは、かつてゲシュタポの支部が置かれていた旧領主の城館前の広場から敷石をこっそりと剥がして持ち帰り、その石にナチ時代に破壊されたユダヤ人墓地の土地の名前を刻み込んだ。それから刻んだ面を下にして石を再び元の場所に戻した。2020年の3月に《2146個の石――ザールブリュッケン反人種差別警告碑》を訪れたとき、その石畳を撮影し日本に戻ってから布の上に転写した。

（柳瀬安里）

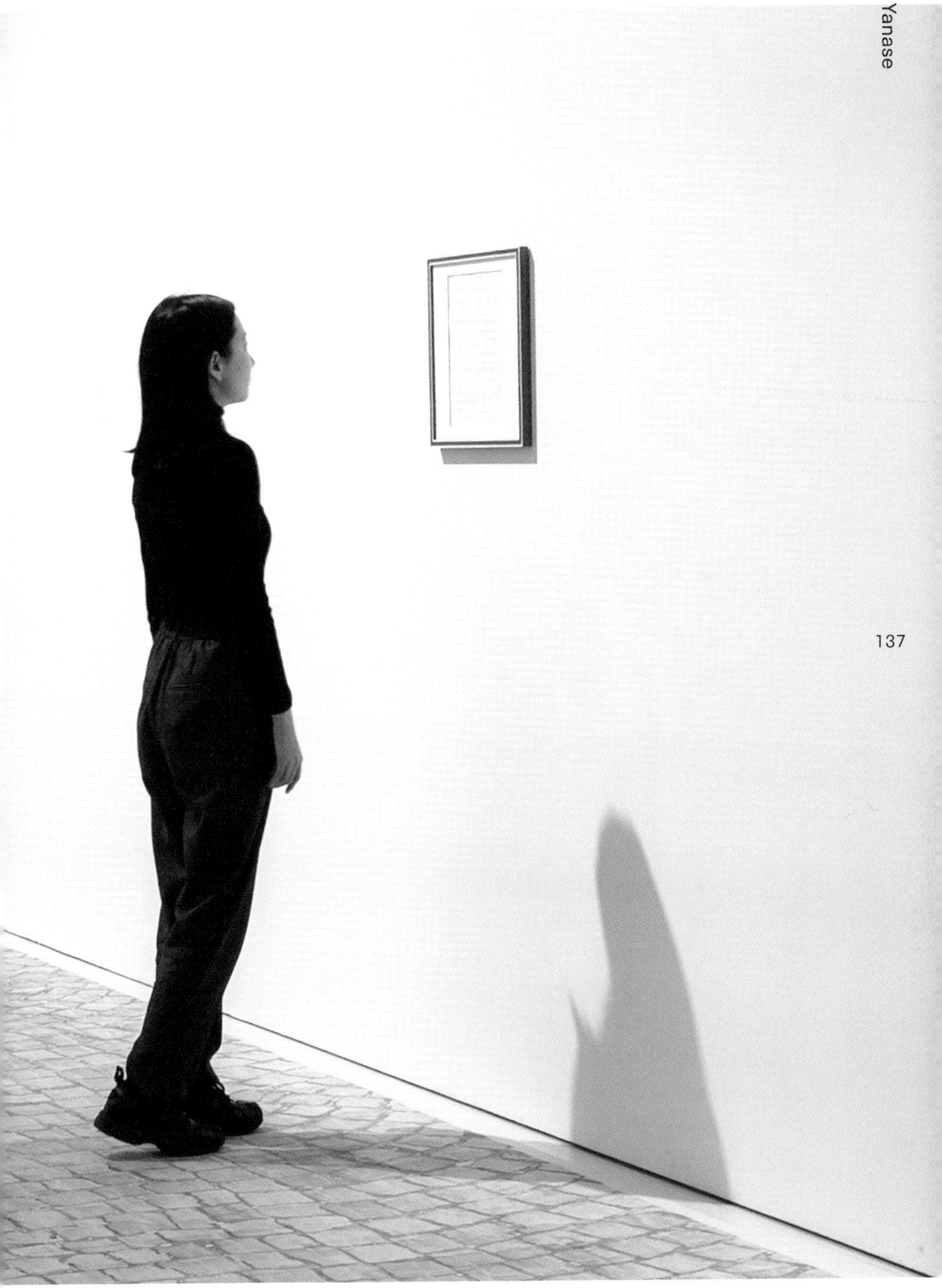

Q. ご自身の活動と、今回の参加作品(プロジェクト)について教えてください。

身の回りで起きた出来事をきっかけに、それが何なのかを知りたいという感情が生まれ、知るための方法として作品をつくるということを続けています。自分の身体を使い、何かを行なう様子の記録映像が最終的に作品となることが多いです。たとえば、《線を引く》(2015〜2016年)では、2015年の夏に国会前で行われた安全保障関連法案に反対するデモの最中と、当時日常生活を送っていた京都でチョークや指を使って地面に線を引いたり、《光のない。一私の立っているところから》(2016〜2017年)では、沖縄本島の北部にある高江を、エルフリーデ・イェリネクの『光のない。』[*1]という戯曲を暗唱しながら歩きました。高江には米軍専用施設である北部訓練場があり、ヘリパッドの建設工事とそれに反対する市民の抗議行動が今も行われています。政治的だねと言われることがあります。最初からそういうことをしたいと思っているわけではありませんが、最近は、私にとってつくることは政治と切り離せないのだと感じるようになりました。

今回は、ドイツのザールブリュッケンに実在する石畳を布に転写したものを展示しています。どこにでもある普通の石畳のようにも見えますが、これはヨッヘン・ゲルツと地元の造形大学の学生8人によってつくられたものです。《2146個の石——ザールブリュッケン反人種差別警告碑》といいます。ゲルツと学生たちはまず、ナチ時代に破壊されたユダヤ人墓地の地名を集めました。2146という数字は、彼らが調査によって突き止めたユダヤ人墓地の総数です。それから、かつてゲシュタポの支部が置かれていたザールブリュッケン城前の広場から敷石を掘り起こして持ち帰り、その石にユダヤ人墓地の名前を刻み込み、そして文字を刻んだ面を下にして石を再び元の場所に戻しました。当局の許可を得ずに始められたこのプロジェクトは非合法のものであったため、石を掘り起こしたり埋め戻したりする作業は夜中にこっそり行なったそうです。だんだん警告碑のことが街中で噂になったことをきっかけに、警告碑プロジェクトは州議会で議論され、激論の末に認められます。《2146個の石——ザールブリュッケン反人種差別警告碑》の完成とともに、ザールブリュッケン城前の広場も「見えない警告碑の広場」と改名されました。一見するとなんの変哲もない城へと続く石畳、でもこの中の2146個の石の裏にはユダヤ人墓地の名前が刻まれているということです。



2020年の3月、私は見えない警告碑の広場を訪れました。この広場に立っても石畳と砂利以外は本当に何も見えませんでした。石の裏に刻まれた文字のことやそれが表すことを頭でなんとなくわかっていても、目には何も見えないということは衝撃的でした。どんな歴史も語り継がれなければなかったことになってしまうのだと思いました。同時に語られなかったこともたくさんあるはずだとも思いました。《2146個の石——ザールブリュッケン反人種差別警告碑》を日本に持ち帰りたいと思い、ビデオカメラで撮影しました。日本に戻ってから、撮影した警告碑を布の上に実物大になるように転写したものが今回の作品です。実際は80m以上の長さがあり、その一部分を展示しています。

転写した布と一緒に、警告碑の上で出会ったドイツ人の男性からもらったメールを展示しています。彼は警告碑プロジェクトにも関わっていた人で、プロジェクトの記録文献[*2]をくれました。日本に戻ってからも、当時のことやドイツ人の自分の目に映る警告碑のこと、それから私の警告碑の見方について足りないと感じる部分まで、彼の考えや思いを丁寧に伝えてくれました。とてもありがたいです。

私が再現しようとしてぺらぺらの布になった《2146個の石——ザールブリュッケン反人種差別警告碑》は、当然だけど実物とはまったく別物です。ゲルツや学生たちがこの警告碑をつくらなくてはいけなかった理由を私は持っていなかった、そういう意味でも別物です。実際の警告碑と離れすぎてしまっている、もしかしたら失礼なことをしているのではないか、どうすれば実物に近づけるのだろう、ということも考えます。この警告碑を日本に持ち帰りたいと思ったのは、時間をかけて一つひとつ自分の手で擦って転写していくなかで、彼らがやったことの意味を考えたかったからでした。これを作品と呼べるのか、自分でもよくわからない気持ちがあります。やることがまだ残っているからだと思います。語り継がなければなかったことになってしまう歴史、その中には語られなかったこともあること、この二つを念頭に、私のぺらぺらになった警告碑を、ドイツではなくここ日本で、これからどんなふうに使っていくのかを考えたいです。この警告碑の名前が「ナチス」ではなく「人種差別」に対する警告となっていることも重要なことだと思っています。



Q. この作品とPCAFが問いかけたキーワード「これからの社会」「新しい成長」は、どのようにつながると考えますか?

---

3月下旬にドイツから帰国し、二週間の自宅隔離期間を過ごしました。その間とにかくずっと頭が混乱していました。毎日iPhoneでコロナに関するニュースを読むたび眩暈が起きるような気分でした。今まで聞いたことのない言葉をたくさん聞いて、一体今何が起きているのかわからないという状況がしばらく続きました。

コロナウイルスによる混乱の経験を踏まえての「これからの社会」「新しい成長」なのだとしたら、今回の作品がその問いに直接応答しているわけではないかもしれません。でもこの世界がどうなっているのかを考えるために作品をつくっているという点ではつながっていると思います。二年近く経った今、コロナによって初めて見えるようになったことや感じたことがあると、自分でもようやく実感できるようになりました。それが作品に影響するのはこれからという気がします。

*1 エルフリーデ・イェリネク『光のない。』林立騎訳(白水社、2012年)
*2 Jochen Gerz, *2146 Steine - Mahnmal gegen Rassismus Saarbrücken* (Stuttgart: Gerd Hatje, 1993)

# PCAF設立ステートメント

2020年に発足したポストコロナ・アーツ基金（PCAF）は、各界の民間有志によるPCAF実行委員会と、東京藝術大学との共同事業です。私たちはコロナ禍で苦境に立たされたアーティストを支援し、同時に、コロナ禍後の新しい生き方や社会に向けた提起を、アーティストと共に創出することを目指しました。参加アーティストは実行委員会等から推薦され、専門家で構成される選考委員会（各委員についてはp.179参照）により決定しました。

設立時のメッセージを以下に改めてご紹介します。

※設立以降の動きは、「ポストコロナ・アーツ基金のあゆみ」（p.006）
および「PCAFのあらまし」（p.178）を参照。

今回のコロナ禍は、国境も世代も思想も超えて、世界に大きな影響を及ぼしました。そして、状況を克服しようと各所から様々な動きが生まれています。一例として芸術文化の領域をあげれば、多くの展覧会や公演が中止・延期となった結果、つくる側・送り出す側は窮地に立たされ、人々は豊かな芸術にふれる日常を一時的・部分的に失いました。一方、芸術の灯を消さないために、各所から支援の試みが始まりました。苦境の打開策として始まったインターネット上での発表なども、芸術の可能性を拡張しました。



私たち「ポストコロナ・アーツ基金（PCAF）」は、これらの試みに最大限の敬意と感謝を抱きつつ、その延長線上の試みとして、次の可能性を探ろうと動き出しました。すなわち、今回の経験を、新しい生き方や社会に向けた提起につなげることです。このコロナ禍は「経済原理主義的な成長」の脆弱さを露呈させました。資源の枯渇を招くほどの大量生産・大量消費。徹底的な人口集中・機能集中がなされた大都市を無数の交通網でつないだグローバル社会。私たちはその恩恵のもと暮らしてきたのも事実ですが、こうした成長指標は、地球環境の「死」に至る流れを加速させてもいます。今回、特にコロナ禍の脅威にさらされた大都市群を筆頭に、私たちは「成長」とは何か再考せざるを得なくなりました。

ポストコロナ社会において重要なのは、日常を取り戻すことに加えて、「新しい成長」のあり方を探ることではないでしょうか。私たちはこの課題に、柔軟な思考力や創造力をもつアーティストと共に取り組みたいと考えます。PCAFの理念に賛同・協働するアーティストは、各人がポストコロナの社会観を創造するアーツプロジェクトを発表します。そこでは、長期的でサスティナブルな社会構築や、そこにおける公共性と市民性、労働と時間、地域とコミュニティ、幸福観と死生観などが、新たな視点で示され、批評的かつ創造的な問いと考察がなされるでしょう。

PCAFはこの活動を支えるために有志によって設立され、誰もがご寄付可能な形で運営されます。この活動にご賛同いただける人々すべての思いをつなぎ、「新しい成長」に向けた新たなビジョンとアクションを提起します。

# PCAFドキュメンタリー(記録映像)

PCAFの活動記録となるドキュメンタリーを制作しました。アーティストや関係者、展覧会場や当時の東京にカメラを向け、コロナ禍を生きる日々や、これからの社会への想いに迫りました。関係者向け上映会を経て、今後は一般公開も検討しています。

「新しい成長」の提起　ポストコロナ社会を創造するアーツプロジェクト

2022年　54分6秒

撮影・編集:河内 彰(アーツ千代田3331)

楽曲協力:木田友和

製作:ポストコロナ・アーツ基金

# 東京藝術大学との連携事業

PCAF実行委員会と東京藝術大学は、共同事業として選出アーティストの支援と展覧会などの事業を実施すると同時に、若い世代を対象にした「実践的教育プログラム」と「美術と教育リサーチプロジェクト 2021 早期教育ワークショップ」も行いました。

## 実践的教育プログラム

美術系大学生や卒業生に参加を募り、各PCAF選出アーティストの制作活動に参加するプログラム。第一線で活動するアーティストのもつ経験や知見、発想や視点に直にふれ、またアーツプロジェクトの進行における協働のあり方を共に学ぶことが企図されました。プログラム内容は個々のアーティストとの調整を経て策定され、参加者はアーティストのプロジェクト（作品制作）における制作・調査・展示設営などに関わりました。なお当初は全国の美術系大学生、卒業生の参加募集も検討されましたが、新型コロナ感染症の拡大状況を鑑み、東京藝大の学生を主対象に実施されました。なおこれにあたり同大学では、本プログラムへの参加が正式な履修単位となる、画期的な仕組みも採用しています。

自ら作品をつくる学生に加え、マネジメントやキュレーションを志す学生なども参加。次代のアートを支える人々の学びにつなげる実践的なプログラムとなりました。

参加アーティスト：青柳菜摘、遠藤麻衣、小泉明郎、サエボーグ、竹内公太、中村裕太、長谷川愛、毛利悠子、百瀬文、柳瀬安里

参加者：19名（東京藝術大学および同大学院の在籍学生）

## 美術と教育リサーチプロジェクト 2021 早期教育ワークショップ

東京藝術大学は全国の幼稚園から大学を対象に、「美術と教育」の可能性の開拓に取り組む「美術と教育 全国リサーチプロジェクト」を継続しています。全国の美術教育の取り組みのリサーチや、そこで見えてきた多様な課題の研究、ワークショップや展覧会などを通した探求を行い、アーティストや教育関係者等との議論を深めながらネットワークを築き、文化芸術の基盤構築を推進することを目指しています。

2021年度の同プロジェクトでは、PCAFとの連携事業として「『新しい成長』の提起 ——ポストコロナ社会を創造するアーツプロジェクト」展の会期中、参加アーティストを主体とした4つのワークショップを実施しました。これからの社会を担う小中高生を対象に、アーティストの思考や活動を体感することで、固定概念に縛られない価値観を育む早期教育を目指しました。またアーティストにとっても、子どもたちの視点や考えに触れることで、PCAFの提起する「新たな成長」について考え、これからの社会を創造するきっかけになることを期待して各ワークショップを実施しました。

➡ワークショップ詳細は次ページ以降を参照

## Workshop 01　中高生向け作品鑑賞レクチャー

日時：2021年11月26日(金)17：00～18：00
場所：東京藝術大学大学美術館のPCAF展会場(対面およびオンライン接続)
参加者：東京都立芸術高校の生徒14名(会場4名、同オンライン10名)、香川県立高松工芸高等学校の生徒13名および教員(オンライン)、千葉県市原市の教職員13名(オンライン)
担当教員：伊藤達矢（東京藝術大学 社会連携センター特任准教授)、西村雄輔（東京藝術大学 美術学部准教授／PCAF参加アーティスト)
サポート：川越健太、林頌介、竹村麗良、伊東五津美
監修：中村政人(東京藝術大学 美術学部教授)

---

内容：東京藝大教員2名により、中高生に向けてPCAF展の作品解説レクチャーを実施。その様子は会場での参加者に加えて、オンライン受講者にむけても公開され、会場と各学校の教室をつなぐかたちで授業が行われました。
目的：人類が直面する問題をテーマとした美術展を体験することで、アーティストの多様な思考や表現を体感し、アーティストたちがどのように社会に向けた意識を持ち、制作に取り組んでいるのかを知る機会とします。美術館での対面形式に加えてオンラインで参加者をつなぐライブ形式での開催により、臨場感をもって「新しい成長」について考え、これからの社会を創造していく契機となることを目指しました。



## Workshop 02　発掘しよう——発見して、じぶんの家をつくろう

日時：2021年11月27日(金)13：00～15：00
場所：東京藝術大学構内のグラウンドおよび森
参加者：幼稚園児から小学校3年生の児童11名とその保護者11名(7家族)
担当教員：西村雄輔(東京藝術大学 美術学部准教授)
ゲスト講師：伊藤史子(アトリエリスタ)
スタッフ：伊東五津美、竹村麗良、近藤美智子、横尾拓郎、加来悠
サポート：宍戸遊美、川越健太

---

内容：藝大の森に落ちている葉っぱや木の枝を見つけて、子どもたちの「じぶんの場所」をつくります。動物たちの巣のような、秘密基地のような、家のような、じぶんが気持ちいい場所。ひとりでつくっても、ほかの子と一緒につくっても、家族でつくっても構いません。手を動かしながら、場所が秘めた歴史と関わりながら、新たな物語をつくります。
目的：①「感覚」を拡張する：自分を取り囲む風景・光景や、藝大にある素材を、自分の目や手で確かめて触れ素材を移動するなかで、普段使っていないかもしれない感覚を拡張していきます。②「表現する」ということ：子どもたちが無意識の中で感じたこと・考えたことを意識的にとりだし他者と共有することで、それらが「表現する」という行為に結びついていきます。③「じぶんの場所」をつくる＝「作品」をつくる：「表現する」「作品をつくる」行為が、自分自身という存在から「じぶんの場所」をつくるという行為のひとつの結果であることにつながっていきます。

## Workshop 03　パフォーミングアーツを体感しよう！

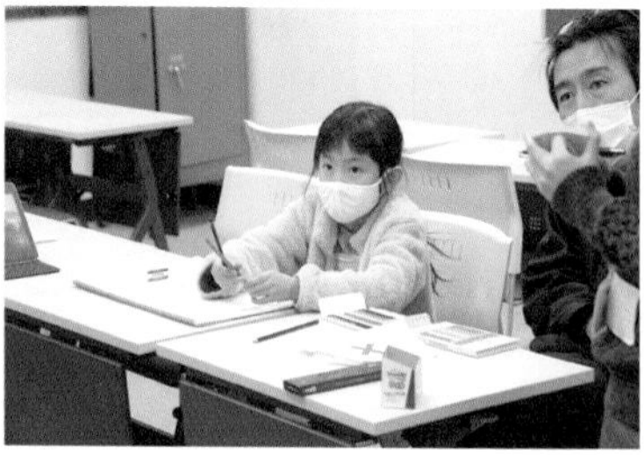

日時：2021年11月27日（金）15：30～17：00
場所：東京藝術大学構内
対象：小学生1～6年生
参加者：2名
担当教員：西村雄輔（東京藝術大学 美術学部 准教授）
スタッフ：伊東五津美、竹村麗良
サポート：宍戸遊美、加来悠、川越健太

内容：PCAF展会場での関連イベント「サエボーグ 公開パフォーマンス」を鑑賞した後、印象に残ったこと、面白かったものなどを絵に描いてみます。
目的：自分の印象にのこったことを、即興的に絵にする試みです。描いた絵を通して他の参加者と違う視点を知る・見ることを目的に実施されました。サエボーグのインスタレーション作品《プートピア》は、家畜の排泄物を住みかとするフンコロガシ達（poorincess／プーリンセス）が住む、うんちの城を中心としたインスタレーションです。公開パフォーマンスではフンコロガシたちの城であるうんちを分解し、城（境界）を消化していく様が展開されます。ワークショップではまず参加者たちがこのパフォーマンスを会場で鑑賞し、イマジネーションを刺激された状態で、絵を描きました。

## Workshop 04　こども会議

日時：2021年11月28日（日）13：00～15：00
場所：東京藝術大学構内
対象：小学校高学年
参加者：4名（小学5年生）
アーティスト：遠藤麻衣
スタッフ：伊東五津美、竹村麗良
サポート：宍戸遊美、加来悠、川越健太、西村雄輔

内容：PCAF参加作家の遠藤麻衣の作品《現代に転生したマリリンを僕は弁護《まも》りたい》（2021年）および、同作に登場する彼女のパフォーマンス作品《あなたに生身の人間として愛されたいの》（2016年）を題材に、美術館での裸体表現についてディベート（討論）する「こども会議」を行いました。まず展覧会場で遠藤が作品を解説したあと、「美術館で裸体表現すること」をテーマに、それが「許される」「許されない」とする2チームにわかれて意見を出し合います。肯定派・否定派が順番に意見を出し、反論や質問を行いました。その後、審査員がチームの勝敗を決定。ただし一方の考えのみを是とするのではなく、その後も意見や感想を交わしました。
目的：様々な考えにふれることで、ひとつの問いに対する答えの多様性を知り、自分の意見とは異なる立場の意見も考察することを体験します。また、裸体表現に関する美術的な視野を広げることで、作品の鑑賞の見解を深めることを目指しました。

# 論考

# 私のものであり、私のものではない空間 ―― 複数のユートピアについて


藪前 知子

PCAF選考委員、東京都美術館学芸員


コロナ禍での話題のひとつに、デヴィッド・バーンのミュージカルをスパイク・リーが撮影した、映画『アメリカン・ユートピア』のヒットがあった。バーンが、自作を簡単なMCを挟みながら演奏していくセルフ・キュレーションのショーである。彼のそれほど熱心な聴き手ではなかった私にとって、この映画のひとつの発見は、バーンが繰り返し「ある場所」について歌い続けてきたという事実である。「Here」「Everybody's Coming to My House」「Road to Nowhere」「This Must Be the Place」といったタイトルを持つ曲が、カーテンに囲まれた四角い部屋のなかで歌われる。囲われた空間であると同時に、開かれたステージであるという二重性を持った空間で。私の家(My House)の空間が果たして私のものなのかという問いは、トランプ政権下で構想されたこのショーにおいては、国境や移民をめぐる政治的なイシューと直結している。さらにこの「場所」は、自分の身体を取り巻く空間が、「Social Distance(社会的距離)」という言葉を伴い「私」と「公」の二重性を持ったものとして意識された現在の世界においても、強い批評性を持つように感じられたのである。



さて、この映画に言及したのは、「ポストコロナ」の社会について、作家たちのヴィジョンを提示する本プロジェクトでも、この「私のものであり、私のものではない空間」についての言及が、見え隠れする主題として印象に残ったからである。駆け足であるが具体的な作品に触れていきたい。例えば布施琳太郎は、コロナ禍において急速に発達したZoom空間を「僕のいない教室」と比喩的に示しながら、その拡張可能性を試みた。遠藤麻衣は、裸体表現についての法的な解釈を、裁判という形式を用いて提示する、コロナ以前より展開してきたプロジェクトの発展形を展示した。「外に(ex)置く(pose)」という語源を持つ「expose」という語は、性的なものも含めた「晒す」ことと「展示すること」の両義を持つ。身体が晒されることによって「私」と「公」の境界＝公共的空間が変化するという遠藤の主題に、コロナ禍は新たな文脈を与えたといえる。東日本大震災および福島第一原発事故への応答として作品制作を本格化させた竹内公太は、個と国家の身体を重ね合わせることでふたつの厄災を繋ぐ。一方、池田剛介は、ポストコロナ社会の空間的な要件として、開かれつつ閉じるという主題を、衝立や屏風という造形から思考している。音という現象から内と外の空間を通気させる大和田俊の作品もまた、公共的空間の境界線に言及したものとして印象に残った。

インスタレーションという形式をめぐって批評家のボリス・グロイスが繰り返し指摘してきたように[1]、展示空間とは、芸術家が、作品という本来閉じた空間を、社会に向けて民主的に開く公共性を帯びたものである。長谷川愛の作品は、茶会という儀礼的な公共的空間のなかで、私たちそれぞれの未来がリスクにおいて異なるものであることを示唆する。Chim↑Pom from Smappa!Groupの作品は、出産というプライベートな営みを、パーティという祝祭性を持ったイベントとして展開したうえ、展示空間にもそれを象徴的に転送するというものだ。しかしそこで観客は奇妙な気分に囚われることになる。私たちはこの空間によって、何を共有しうるのだろうか。ひとりの子供の誕生を祝う気持ちだけが、この作品の経験ではないはずだからだ。この宙ぶらりんの感覚は、彼らが出現させた公共的／展示空間が、私たちの生から切り離された、どこでもない場所であることを思い起こさせる。言うまでもなくトマス・モアは、ユートピアを、理想郷であるよりもまず、現実世界の対比としてあらわれる、どこでもない場所として構想した。そして、この空間を最も明快に表現したのが、人間にとってのディストピアがユートピアへと反転しうる未来を描いたサエボーグの「プートピア」ではないだろうか。

一方で、こうした公共的空間をめぐる問いは、放射能という不可視の脅威がもたらす分断とともに、東日本大震災以降の日本のアートが繰り返し向き合ってきた主題である。本プロジェクトにおいても不可視という主題は繰り返し現れるが、それが、放射能のような実体なき脅威としてではなく、異なる空間の他者の存在を伴っていることに注目したい。コンピューターでは処理できない仕事をクラウドを通してアウトソーシングできるサービスを使って制作された青柳菜摘の作品は、AIに管理され全てがログとして残される現代の社会において、人間的な営みとは、個とは何かを問いかけるものだ。不可視の他者について、柳瀬安里は時間を遡って言及し、小泉明郎は、それを自分自身のなかに発見するように促す。毛利悠子の作品は、見えない他者と「私」との間の「社会的距離」を、遠ざけもし、繋ぎもするメディウム／メディアについて言及するものだ。他者の眼差しを通した自己の再発見というテーマは、中村裕太の作品にも見ることができる。西村雄輔の作品も、見えないもうひとつの空間の存在を示唆し、私たちの意識をそこへ運ぶものといえるだろう。SIDE COREは、ポルターガイスト現象をモチーフとして都市空間に消えたものを強烈に示すとともに、日常と非日常、虚実が反転したコロナ禍の世界を描く。そして、遠く離れた、見えない他者との対話から、「私」の内部にありながら国家に管理される、「私のものであり、私のものではない」究極の空間——女性の子宮——について語る百瀬文の映像作品は、本プロジェクトのひとつのクライマックスのように私には感じられた。

思想家のジャン゠リュック・ナンシーは、コロナ禍の最初期に、「共産主義的」という言葉でこのウィルスの平等性について言及したが[2]、2年が経過した今、私たちは、これが民族、性別、年齢、職業、経済状況、健康状態など、個に備わった既存の諸条件を照らし出し、潜在していた問題を増幅させるものであったことを知っている。

作家たちにより「個」と「公」が重なる複数の「場所」が示された本プロジェクトは、このことを未来へと伝える貴重な証言となるはずだ。同時に、「アメリカン・ユートピア」がそうであるように、これらの作品が示した「どこでもない場所」は、私たちの未来にも、繰り返し代入され、思考を促していくだろう。

(1) たとえば以下の論考がある。
Boris Groys, “Politics of Installation,” *e-flux Journal*, Issue #02, January 2009.
https://www.e-flux.com/journal/02/68504/politics-of-installation/
(2009年1月2日公開、2022年1月15日閲覧)

(2) Jean-Luc Nancy, “Communovirus,” *Libération*, 24 March 2020 (web. 25 July 2020).
[ジャン=リュック・ナンシー「コミュノウイルス」『あまりに人間的なウィルス』(伊藤潤一郎訳)勁草書房、2021年]



やぶまえ・ともこ｜1974年東京都生まれ。2004年より東京都現代美術館学芸員、2022年より東京都美術館学芸員。担当展に「大竹伸朗 全景 1955-2006」(2006年)、「MOTコレクション 特集展示 岡崎乾二郎」(2009年)、「山口小夜子 未来を着る人」(2015年)、「おとなもこどもも考える ここはだれの場所？」(2015年)、「MOTサテライト 2017春 往来往来」(2017年)、「石岡瑛子 血が、汗が、涙がデザインできるか」(2020年)、「クリスチャン・マークレー トランスレーティング[翻訳する]」(2022年、いずれも東京都現代美術館)など。外部企画に、「札幌国際芸術祭2017」、「αMプロジェクト 東京計画2019」など。現代美術作家のモノグラフ、雑誌、ウェブ、等に寄稿多数。

# コロナ禍を梃《て》子《こ》とした新たな展開

**鷲田 めるろ**
PCAF選考委員、十和田市現代美術館館長

2021年11月、東京藝術大学大学美術館でPCAFの展覧会「『新しい成長』の提起　ポストコロナ社会を創造するアーツプロジェクト」展を見た。その約一年前、私は選考委員の一人として、出品作家の選出に関わった。選ぶにあたって私は以下の3点を重視した。(1)状況に対して柔軟に応答できる作家。(2)自然との関わり方について視野を広げてくれる作家。(3)個人的な経験から作品を立ち上げられる作家。

(1)展覧会で、新型コロナウイルス感染症に対して私が予想もしなかった角度から応答していたのが百瀬文だった。百瀬は、ポーランドでコロナ禍と同時期に起きていた人工妊娠中絶をめぐる憲法裁判所の判決とそれに対する民衆のデモや、かつて奴隷制の時代に、奴隷主等に孕まされた奴隷が「フロース・パウォーニス」という薬草を使って自ら堕胎したというカリブ海地域での抵抗の歴史を、新型コロナウイルス感染症が広がる状況とつなげた映像作品《Flos Pavonis》を生み出した。

新型コロナウイルス感染症によって個人の行動が制限された。「緊急事態宣言」や「ロックダウン」のように行政権力によるものもあれば、「自粛警察」のような「世間」によるものもあった。作品では、個人の行動を制限するこうした権力と、女性の身体を管理する権力とを重ね合わせていた。

さらに、映像ではレイプされかけた女性が、逆に暴力的に男性に口を合わせるシーンがある。性的な接触の結果を負わされるのが常に女性側であるのに対し、誰もが新型コロナウイルスに感染している危険性のある状況では、接触の結果生じる感染のリスクは男女等しくなる。自分の生も他者の生も損なってしまう新型コロナウイルスを、男女の非対称性を糺《ただ》すために使う可能性を示している。それは、自らの子供でもある生を損なうことによる奴隷たちの抵抗にも通じる。こうした視点は、これまで眼差しの非対称性やコミュニケーションにおける身体性を扱ってきた百瀬ならではのもので、大いに刺激を受けた。

(2)自然との関係について、選考時に評価したのは大和田俊だった。大和田は垂れる酸の水溶液が石灰岩を溶かしてゆく、その音をマイクで集音し電気的に増幅して聞かせるインスタレーションを過去に制作している。人類の時間のスケールを超えた自然と、人間の電気的な技術をつなぐ作品である。

新型コロナウイルスは、人間の活動領域が拡大し、それまで隔てられていた自然の

領域と接することによって、ヒトに広がったとも言われている。自然と人間との関係を見つめ直すことは「ポストコロナ」を考えることにつながるだろうと考えた。

展覧会で大和田は、大きなガラス窓から外が見える美術館のエントランスホールに、同じ二つのスピーカーを背中合わせに置いた。片方のスピーカーからは部屋の中で、もう片方からは部屋の外で録った音が流れる。1時間半にわたるこの音は、部屋の窓を割り、再び窓を修理するまでの間を録ったものである。窓ガラスが無くなることによって、内外に隔てられていた二つの空間は一体化した。この空間の変容を音で示そうとしている。施設の制約から実現はできなかったが、当初の作品プランは、このエントランスホールの窓ガラスを割るものだったと言う。飛沫感染を防ぐためにアクリル板を設置することや、換気のために窓を開けることが空間的にどのような意味を持つかについて考えさせられる。

展覧会のなかで、人間の尺度を超えた時間をむしろ感じさせたのは、意外にも、人が溢れる大都市のストリートを起点にこれまで多く作品をつくってきたSIDE COREだった。彼らは、外出自粛で無人になった渋谷を舞台に映像を撮影した。その状況は、人類がいなくなった後の廃墟を思わせた。

(3)個人的な経験から作品を立ち上げられる作家として選考時に注目したのは青柳菜摘だった。青柳は過去に武田百合子の『富士日記』を下敷きにした映像インスタレーションを制作している。「日記」という形式を借りて、身の回りのことを細かく観察し記録しているが、大きな物語に回収されることを回避しているようにも感じられた。

新型コロナウイルス感染症の影響は全世界的だったが、そのリスクは年齢や既往症、地域の医療体制などによって大きく異なる。なにより未知のリスクに対する許容度は人それぞれだ。だからこそ、極めて個人的な体験から立ち上げられた作品が展覧会に含まれていることが重要だと考えた。

出品された青柳の映像インスタレーション《家で待つ君のための暦物語》はAmazonの音声アシスタント「Alexa」を搭載したスマートスピーカーを用いた作品である。Amazonのクラウドソーシングサービス「MTurk」を使って、世界中から個人的な「物語」を集め、それをAlexaに読み上げさせた。「MTurk」というサービス名は、「機械仕掛けのトルコ人(Mechanical Turk)」の意味で、人が入って操作していた18世紀の自動チェス人形「トルコ人」に由来する。Alexaの端末の中に、人が入って応答しているようなイメージが生まれる。

青柳は通常家の中で使われるAlexaを街に持ち出した。それは「ステイ・ホーム」を強いられる世界中の人々の日常を、もう一つ外側の視点から捉えようとする試みだった。Alexaの中で応答している誰かは、通りから見える家の中にいる人かもしれないし、「私」かもしれない。Alexaとその画面は、街に広がる家々とその窓と相似形をなしていた。

個人的な経験を示すこれまでの日記形式を「暦物語」に発展させつつ、「ステイ・

ホーム」で加速されたデジタル端末による経験の断片化を、めくるめくインスタレーションで示していた。

展覧会の性質上、本展に参加した作家たちは新作を求められたであろう。しかし、コロナ禍においては、制作自体が困難を極めたはずで、さらに展覧会自体の開催も一度は延期となった。そうしたなか、以前からの制作課題を引き継ぎつつ、コロナ禍を梃《て》子《こ》として、新たな展開へと飛躍させた作品がいくつも生まれたことは奇跡的だというほかない。この文章を書いている今なおコロナ禍の渦中であり、「ポストコロナ」は見通せないが、作品を通して見えてきた気づきを反芻しながら、自分の足下を見つめなおしてゆきたい。



**わしだ・めるろ** ｜ 1973年京都府生まれ。東京大学大学院修士（文学）修了。1999年から金沢21世紀美術館キュレーターとして活動。担当展にSANAA（2005年）、アトリエ・ワン（2007年）、イェッペ・ハイン（2011年）、島袋道浩（2013年）の個展や、「人間は自由なんだから：ゲント現代美術館コレクションより」（2006年）、「3.11以後の建築」（2014年）、「起点としての80年代」（2018年）など。2018年に同館を離れ、2020年に十和田市現代美術館館長に就任。第57回ヴェネチア・ビエンナーレ国際美術展日本館キュレーター（2017年、出展作家は岩崎貴宏）、あいちトリエンナーレ2019キュレーターも務めた。著書に『キュレーターズノート 二〇〇七―二〇二〇』（美学出版、2020年）がある。

# 「新しい成長」とは?
# 「ポストコロナ社会」とは?

毛利 嘉孝

東京藝術大学大学院国際芸術創造研究科教授、社会学者

ポストコロナ・アーツ基金(以下PCAF)の展覧会「『新しい成長』の提起　ポストコロナ社会を創造するアーツプロジェクト」の展覧会をどのように理解すればいいのだろうか。この展覧会は、一般的に美術館やギャラリーで開催された展覧会のように一つのテーマに沿って企画された展覧会ではない。「ポストコロナ社会」や「新しい成長」というキーワードが提示されているが、選出された参加作家たちがこれらの言葉をどうとらえるかは、各自に委ねられた。もちろん、コロナ禍の中で作品制作がなされ展覧会が企画されているため、いくつかの作品はその状況を色濃く反映しているが、基本的には「コロナ」や「ポストコロナ」、あるいは「新しい成長」を直接的にテーマとした作品が展示されているわけではない。



しかし、あらためて展覧会を俯瞰すると、一つのコンセプトをもとに作品をキュレーションしたのではないにもかかわらず、全体に共有されているいくつかの傾向を見ることができる。

このことは、一つには東京藝術大学という教育研究機関の、特に大学の美術館という場所で教育プログラムの一環として開催されていることからくるのかもしれない。今回のプロジェクトは大学、大学院の授業の中に組み込まれ、学生たちが展覧会を作っていくスタッフとして参加するプロセスが組み込まれている(p.142参照)。実際に、私の研究室の大学院生も参加し展覧会の設営や運営に関わったが、コロナ禍の中で対面授業の制限がなされていくなかで貴重な実践の経験になった。

プログラムに参加した学部生や院生からの目線で見れば、自分たちがこれからどのように作家活動を続け、どのようにキャリアを積んでいくのかを考えるために、現在の自分の場所から地続きの世代の作家群からなる展覧会に感じられたのでなないか。今回選ばれた作家の年齢構成をみると、最年長が1976年生まれの小泉明郎や西村雄輔、1977年生まれの卯城竜太(Chim↑Pom from Smappa!Group)など70年代生まれの作家が一番上の世代で、その多くは1980年代生まれの現在気鋭の作家として積極的に活動の領域を国内外に広げている作家である。青柳菜摘や柳瀬安里、布施琳太郎のように1990年代生まれの作家も参加している。

この作家の構成は単に世代的な特徴にとどまらない。選出された作家の多くは、メディアによる区分やディシプリンの枠に留まることなく、アートという枠組みそのものを拡張し、変容させていくタイプの作家である。けれども、その一方で非物質的な社会関係や組織、制度、コミュニティを作品として示す最近のソーシャリー・エンゲイジド・アート、参加型アートなどのいわゆる「社会的転回」以降の一連の流れとは一線を画しており、むしろ作品の物質性やメディア性に対するこだわりもはっきりと確認することができる。ここで試みられているのは、アートを通じて社会に介入するというよりは、社会の変化に対応してアートと呼ばれてきた実践のあり方そのものを変革するという自己反省的な実践なのだ。

「新しい成長」と「ポストコロナ社会」というテーマに戻ろう。いささか皮肉なことなのだが、作品の多くは「新しい成長」の提起というよりも、むしろ一般にいわれる「成長」という概念――それが経済であれアートであれ――に対する批判的な介入として機能している。「ポストコロナ社会」は、コロナ社会の「後《ポスト》」という意味ではいまだに実現しているわけではない。現状を見るとしばらくは次々と変異しながら登場する新種のコロナとしばらくは共存せざるをえない。このこと自体がグローバルな資本主義社会の産物であることを踏まえればもはやコロナ対策だけの問題ではないことははっきりとしている。コロナ禍の只中でアジアの多くの国が軍事化、権威主義化し、ロシアによるウクライナ侵略が始まるなど、東西冷戦の崩壊以降漠然と共有されてきた経済や技術の「成長」の神話は完全に崩壊しつつある。

このことを象徴的に示しているのは、会場の真ん中に鎮座しているサエボーグの《プートピア》である。「家畜の排泄物を住みかとするフンコロガシ達が住むうんちの城を中心としたインスタレーション」というディストピア的な世界は、明らかに「脱成長」、「反成長」あるいはより積極的に「退化」をテーマとしている。けれども、ここで示される退化は必ずしも現在よりも劣った存在に変容することではない。むしろ、排泄物の中に生活する脱人間化した新しい生命体は、人間と動物、生物と物質、そしてジェンダーやセクシュアリティの区分を再編成する新しい時代の美学を形成しているのだ。そのことを通じて、「成長」という言葉に無意識に忍び込んでいるしつこい進歩主義、生産主義、男性中心主義や人間中心主義を問題化しているのである。

今回の展覧会を俯瞰すると大きく4つの領域が浮かび上がってくる。それは(1)身体と権力(あるいはジェンダー／セクシュアリティ)(2)環境とエコロジー(3)距離と空間(4)情報とコミュニケーションである。いずれもコロナ禍において大きく変容しつつある領域である。もちろんそれぞれの作品が完全にこのどれかに分類されるわけではない(たとえば上述の《プートピア》はこのどの領域にも分類されえる)が、便宜上この区分に沿って作品を足速に見てみたい。

堕胎の禁止を中心とする国家の身体の管理、再生産への欲望に対するフェミニスト的な抵抗を描く百瀬文の《Flos Pavonis》、2016年に東京都現代美術館で自分の身体を用いたパフォーマンス作品《あなたに生身の人間として愛されたいの》(2016)を素材に裸体表現に対する法的解釈をめぐる架空の裁判をインスタレーションとして展示した遠藤麻衣の《現代に転生したマリリンを僕は弁護《まも》りたい》はいずれも、国家に対する女性の身体管理を問題にしている。いずれも男性中心主義的な人口の再生産(成長)に対するラディカルな批判である。Chim↑Pom from Smappa!Groupの《はい、こんにちは》はそれとは異なるベクトルで、やはり国家や社会、そして公的な空間と女性の身体と新しい関係を模索している。胎児を映したエコー写真がデザインされた巨大なバルーンは、子宮という極めて固有の空間を公的な領域へと侵入させようという試みとして捉えることができるだろう。

環境やエコロジーを考えることは必然的に「成長」の限界を考えることである。資源は無限ではないので、成長は必ずどこかで鈍化せざるをえない。「成長」の代わりに浮上するのは、「循環」や「均衡」という概念である。

その意味で大和田俊のサウンド・インスタレーションは興味深い。ガラスの割れる音は破壊を象徴しているのだが、それに対して無音は修復を暗示している。循環的な秩序は唐突な破壊の反復によって維持されているのである。長谷川愛の《富士山噴火茶席》もまた、いかに自然の破壊的なカタストロフを忘却することによって、私たちが感じる「永遠」や「平穏」が形成されているのかを示している。竹内公太が描きだすのは、新型コロナウイルスの感染拡大の防止とともに拡大しつつある怪物的な国家権力である。この怪物も、ウイルスと医療の循環と均衡によって生み出されたものだ。皮肉なことに環境やエコロジーもまたそうした怪物的権力の一部なのだ。逆に西村雄輔は、人間ではないエコロジカルな主体が旅とともに地球の情報を蒐集する脱人間的環境を描き出そうとしている。こうした作品群は、「成長」に対してオルタナティヴな環境や循環を示しているのではなく、環境や循環を成立させつつ動的に駆動させている破壊的、あるいは強権的な権力を明らかにしているのである。

新型コロナウイルスは、「ステイホーム」「ソーシャル・ディスタンス」という言葉に代表されるさまざまなまん延防止策によって、都市空間をすっかりと変貌させた。SIDE COREの作品《empty spring》は、コロナ禍が変えた都市を正面から描いたものである。新型コロナによって無人化した都市の中で、無機質な物体がポルターガイストのように動き回る姿は、ポストコロナというよりもポストヒューマンな風景だ。中村裕太の《いかものの問題！》は、歴史を遡り、戦前の建築家で都市計画者であるブルーノ・タウトとともに、「いかもの」(本物に似せた紛いモノ)と彼が呼んだものを日本固有の都市空間に見出そうというプロジェクトだが、自由に居酒屋で時間を潰した時間が今ではノスタルジーになっていることを思い起こさせる。

距離や空間の変容は都市だけではない。池田剛介の《衝立、屏風、パンデミック》

は、コロナ禍において日常に広がりつつある「部分的隔離」に新しい美学、身体と空間の技法を見出そうとしている。そして、毛利悠子の作品は、人や作品の接触から生まれるはずの音が、距離を保ったままオブジェとして孤立しているようすをインスタレーションとして示している。これらはコロナ禍において生まれた固有の距離の感覚を示している。

コロナ禍におけるコミュニケーションや情報流通の新しい様式は、例外的なものなのか「新しい常態《ニューノーマル》」なのか。催眠術を扱った小泉明郎の映像作品《自由の呪文》は、対面のコミュニケーションが決定的に減少した社会の中で催眠術の声のような強い言語がいかに人々の意識を直接支配するようになるのかを示した作品である。それに対して青柳菜摘の《家で待つ君のための暦物語》は自分を取り巻く情報機器やネット環境が不確かな物語を紡ぎ出す不思議な感覚を描いたものだ。布施琳太郎の《僕のいない教室に射した言葉の水面をすべる船》はコロナ禍によって空っぽになった大学の教室を中心にすっかりと空間的配列が変わったコミュニケーションのあり方を示している。いずれにしてもこれはコロナ禍に関わりなくゆっくりと私たちの生活の周りで進行していた不可逆的な変化であるように思われる。

国境間の移動が禁じられた時期に歴史のメッセージの奇跡的な往来を目指したプロジェクトとして、柳瀬安里の《そこに、なにが映っていても目に見えない》を最後に紹介しておこう。ドイツの小さな街の石畳を東京の美術館の中に移し替えることを通じて隠されたメッセージを連鎖させていくという試みはこの状況だからこそ貴重に感じられた。

このように展覧会を見た上であらためて「新しい成長」を考えると、私たちが歴史的に把握してきた「成長」の概念の徹底的な検討が始まっていることがわかる。このことはコロナ禍によって可視化されたのだが、ひょっとするとコロナ禍が広がるずいぶん前から始まっていたのかもしれない。「ポスト」という接頭語は、単に時系列的な「後」を示すのではなく、「ポストモダン」という語がそうだったようにこれまでの構造に対する積極的な批判が含まれている。現在の状況を単に悲観的に捉えるだけではなく、むしろ何か変化の契機として捉えようとしている作家たちの姿が見える。それは必ずしも一つの方向を向いているものでもないが、その多様性こそが「成長」という概念を革新し、本当の意味での「新しい成長」をもたらすにちがいない。

もうり・よしたか｜1963年長崎県生まれ。東京藝術大学大学院国際芸術創造研究科教授、社会学者。主に現代美術や音楽、メディアなど現代文化と都市空間の編成や社会運動をテーマに批評活動を行う。主著に『バンクシー』(光文社新書、2019年)、『ストリートの思想』(NHK出版、2009年)、『文化=政治』(月曜社、2003年)、『増補　ポピュラー音楽と資本主義』(せりか書房、2012年)、編著に『アフターミュージッキング』(東京藝術大学出版会、2017年)、共著に『コミュニケーション資本主義と〈コモン〉の探求』(東京大学出版会、2019年)等。

# PCAF実行委員会・東京藝術大学より

PCAFは各界の民間有志が実行委員会を立ち上げ、さらに東京藝術大学と協定を結び、民学連携のかたちで実現しました。ここでは双方の関係者のことばを紹介します。

## アートを支え、アートに学ぶ

大林 剛郎
PCAF実行委員会 発起人・役員、
株式会社大林組 代表取締役会長

コロナ禍以降、若いアーティストの方々とお話するなかで、彼らの多くが展覧会や芸術祭の中止・延期により、発表の場を奪われていることを知った。私が関わる現代アートのレジデンス支援プログラムも、海外渡航の困難化で休止を迫られた。作家たちは経済面や活動面での苦境に加え、作品を通じた社会とのコミュニケーションの場を失っていたと言えるだろう。

PCAFはこうした声もふまえ、新しい作家支援のあり方を提示できたと思う。実現した展覧会では、皆さん素晴らしい作品をみせてくださった。背景には、川村喜久事務局長と関係者一同の熱意、選考委員の的確でバランスのとれたセレクション、また寄付やクラウドファンディングを通じた多くの方々によるご支援があった。そして何よりアーティストの方々が、このような時期だからこそ、強い意欲で実現に取り組む姿が印象的だった。

芸術の支援については国や地方自治体の取り組みも当然重要だが、微力ながら民間の集まりでもこれだけのことができる、というインパクトを示せた点でも意義はあったと感じている。

経営者として日頃は数字と向き合うことが多いなか、アートはそれとは異なるかたちで私の生活に潤いをもたらしてくれる。特に現代アートの世界は同時代を生きる多様な作家と直にお話できる機会もあり、様々な発想から学ばせていただくことも多い。

これからの日本は、戦後の成長を支えたサイエンスやテクノロジーに、人文知がいかにうまく噛み合うかが鍵だと考えている。そして、もともと素晴らしい歴史と文化を持つ日本から、アーティストが様々なかたちで世界を舞台に活躍することを期待してやまない。

**おおばやし・たけお** | 1954年東京都生まれ。慶応義塾大学経済学部卒業後、株式会社大林組入社。スタンフォード大学大学院に留学し建設管理工学などを学ぶ。1983年に取締役、2003年に代表取締役会長。現代美術のコレクター、支援者としての活動も知られる。

---

## アーティストの逞しさを実感

服部 今日子
PCAF実行委員会 発起人、
PHILLIPS Auctioneers 日本代表

高校時代にアートを学び始め、アーティストになりたいと考えた時期もある。それは諦めることになったが、今はアートに関われる仕事を選び、自宅でも好きな作品を展示して楽しむなどしている。太古の人々が壁画を描いたころから、アートは生活に身近なものだったのではないだろうかと想像する。

私とPCAFとの関わりは、コロナで発表の機会を失ったアーティストを支援したい、という実行委の情熱に心を動かされて始まった。さらに、共にコロナ後の社会を考えるというテーマが、強いインパクトをもたらしたと思う。

PCAFの活動を通じて感じたのは、これまで自分が思っていた以上に、アーティストは逞しいということだ。私たちがアーティスト支援を考える際、そこにある種の傲慢さもないだろうかと迷うこともある。しかし、彼らにはそうしたものも跳ね飛ばすほどの力があり、個々の作品が発するエネルギーは、この苦境にあってなお力強いものだった。

会場で最初に毛利悠子さんの作品空間に足を踏み入れた瞬間、久々に「ああ、展覧会に来られた」と嬉しさが溢れた。小泉明郎さんが催眠術に着想した作品、Chim↑Pomのエリイさんの実経験を通じた作品など、いずれも興味深く、オーラのようなものを感じる体験となった。

これほど多様な人々がひとつの目標のもとに集ったことも含め、PCAFはコロナ禍だから生まれえた動きとも言える。川村事務局長の人間力溢れる呼び掛けでこうしたメンバーが集まり、活発な議論が可能になったのだと思う。

そして今改めて感じるのは、私たちにとってアートはその存在そのものに加え、それを通じて作品や作家、または他者とコミュニケーションできることが重要なのだ、ということである。

**はっとり・きょうこ｜静岡県生まれ。東京大学を卒業後、マッキンゼー・アンド・カンパニーに勤務。その後、不動産デベロッパー、不動産投資ファンドに従事し、ヘッドハンターを経由して、2016年にオークションハウス、フィリップスの東京オフィスを立ち上げる。**

---

## アーティストたちが突きつけてくれた「問いの見直し」

**御立 尚資**

PCAF実行委員会 発起人・役員、
公益財団法人大原美術館理事

コロナ前後で何か変わったのか、ではなく、コロナは何を明らかにしたのか。ここまでのPCAFの活動、そしてその一環としての展覧会が突きつけてくれたのは、「問いの見直し」だ。

PCAFの活動が立ち上がった段階では、私たちの多くは、「今回のパンデミックの社会への直接的なインパクトに対して、アートは何を提示するのか」「それはコロナ前と何が異なるのか」といった問いを想定していたような気がする。矮小化した一例は、ダイレクトな人と人との接触が制限されることで、わたしたちに何が起こるのか、という問いかけだ。

しかし、実際にはこれまで社会一般には気づかれていなかった、あるいは見て見ぬふりをしてきたことごとが、さまざまな形で立ち現れてきた。発現形態はさまざまだが、ジェンダーやダイバーシティ、都市集中のなかでの孤独、自然と人工物そして人間との関係性といった課題や論点が、くっきりと見え始めている。言い換えれば、コロナ禍を通して、こういった事柄に対しての私たちのセンサーが、少しだけ感度を高めたのだろう。

当たり前だけれど、アーティストたちは、コロナ禍以前、これらの課題や論点が微かな蠕動だった段階から、しっかりと感じ取り、それらを作品制作の一助としてきている。PCAFの展覧会でも、それぞれのアーティストが長く取り上げてきたテーマをさらに深めたり、より鮮明にさせた形での作品が数多く登場した。

ただ面白いことに、それらが複数のアーティストによって準備され、しかもアーティスト同士が示し合わせたわけでもないのに、前述のような「疎外、歪み、タブー」や「(その向こうにそれでも存在する)希望」といったものが、通底するテーマとして浮かび上がってきた。これは、コロナ以前からある課題、論点が、私たちの社会の中で、ようやく浮かび上がってきたという事実に、アーティストたちが同時に反応し、それぞれが問いの再定義を行った、ということだろう。一方でメッセージを受け取る側のセンサー感度が少し高まったことで、より通底テーマを感じ取れるようになったという気がする。

もとより、アートは自然、人間、社会を変革するためだけにあるのではない。しかし、アートを制作する側が課題視してきた「コロナ以前からの論点」を、アート作品と交感する側がよりくっきりと見る・感じることができるようになったことを奇禍として、PCAFが何かポジティブな変化へのひとつのきっかけとなることを期待することは許されるだろうと思う。

我々は皆、複数の時間軸の上で生きている。ここ数年、十数年という時間軸。自分の人生という時間軸。何世代かの連鎖の一部としての時間軸。そして人間という種を超えて、宇宙、地球、自然の変転という超長期の時間軸。これら全てを優れたアートは包含している。PCAFとの関わりを通じて、日常を超えた時間軸でモノゴトと自分を眺め、新たに突きつけられた問いに自分なりに答えようと、ジタバタもがく。アーティストの皆さんとご一緒に、そんな動きを続けていけたら、と考えている。

**みたち・たかし**｜1957年兵庫県生まれ。京都大学文学部米文学科卒。米ハーバード大学よりMBA取得。日本航空の経営企画部門を経て、1993年、ボストン コンサルティング グループ（BCG）入社。2005年、BCG日本代表に就任し、2006年から2013年まで、日本人初のBCGグローバル経営会議メンバーを務める。現在は複数企業の社外取締役を務めるほか、京都大学特別教授（経営管理大学院）、公益財団法人大原美術館理事など多方面で活動する。『「ミライの兆し」の見つけ方』(日経BP、2019年)など著書も多数。



---

## 不要不急でないアートの価値

**森 佳子**

PCAF実行委員会 発起人、
森美術館 理事長

コロナ禍で「不要不急」の行動の自粛が求められるなか、森美術館も臨時休館を受け入れざるをえなくなった。私は、美術は私たちの暮らしにおいて不要不急の存在だったのか?と衝撃を受け、そうではないことをいかに示せるかと考えるようにもなった。

こうした状況で参加したPCAF実行委員会では、アートがいかに私たちの日常を豊かにしてくれるかとの思いを新たにし、会議を重ねた委員各位とも芸術支援の思いを共有することになった。

展覧会には、アーティストならではのコロナ禍への応答が集った。小泉明郎さんの催眠術の作品は、コロナ禍で人と人の交流が大きく減り、皆が内向きになった状況で、改めて人と社会の関わりを問うようだった。池田剛介さんの作品は、感染防止のため各所に現れた衝立に着想して屏風を扱ったもので、人々を隔てる衝立が別の可能性も持ちえることを示唆した。Chim↑Pomの作品では、大きな風船から伸びる赤い紐を人々がつかむ行為に、皆で未来を支えていこうという意思を感じた。

短期間で実現した取り組みながら、展覧会は非常に良いものになった。だからこそ、もっと話題になりえたのではという勿体なさや宣伝活動の反省点もあり、今後の糧としたい。

美術館の理事長という仕事柄だけでなく、アートは私の生活の大部分を占めている。1990年代に同館の設立が決まってから、ファウンダーで夫の森稔と共に世界中の美術館を観てまわった。この経験から、現代美術は世界の縮図、時代を映す鏡であると知った。私たちはそこから様々な想像をし、多様な学びや楽しみを得られる。だからこそ夫も、これからの時代に向け構想した六本木ヒルズに美術館をつくるなら、現代美術が相応しいという揺るぎない思いを持ったのだと思う。

私も今、その営みに関われていることを幸せに思う。欧米中心主義を超えた視点や、ジェンダーフリー、サステナブルな社会へのまなざしなど、現代美術は私たちが生きる時代を理解するうえでも、重要な存在だと信じている。

**もり・よしこ**｜東京生まれ。森ビル株式会社 取締役（2000年6月～）、森美術館 理事長（2003年9月～）、森ビル流通株式会社 取締役（2012年6月～）、公益財団法人小田原文化財団 評議員（2009年11月～）、公益財団法人西洋美術振興財団 評議員（2014年7月～）、公益財団法人大林財団 名誉評議員（2022年6月～）他を務める。フランス共和国 レジオン・ドヌール勲章シュヴァリエ叙勲（2013年3月）。

---

## 生きる力としての芸術

### 日比野 克彦

東京藝術大学学長、
PCAF展開催時は美術学部長

本学でもコロナの影響は大きく、半年間ほどアトリエでの活動やキャンパスでの交流が困難になったが、急遽オンライン授業などで対応した。他方、講義等と別に学生や芸術家と社会をつなぐ活動として、コロナ前から続く「I LOVE YOU」プロジェクトでは、芸術の可能性をその実践により社会に伝える企画を募集・応援してきた。

そしてPCAFは、大学が芸術支援を社会と共に考える時代の先駆けになったと言える。この輪を広げるうえで、世界のうねりに美術がどう取り組んでいくかを示すことは重要だ。それはビジネス界などにおける美術を通じた社会貢献や、美術教育機関のステークホルダーの裾野を広げる契機にもなるだろう。

PCAF展の作品群は、いわゆる美術館の制度的枠組からはみ出す大胆さを持ちながら、美術館を否定もせず、力強く発信しようとしていた。今後も社会に対して多様な挑戦を続ける作家たちのこの柔軟な姿勢は、ポストコロナ時代の主流になるのではとも感じる。

予期せぬ大災害や社会変動が次々

起き、またコロナによりアートを現場で体験できなかった時期を乗り越えた今、アートは生きる力になるという感覚を抱く人も多いと思う。本学も教育研究機関として、人間にとっての芸術の価値を探究し続けていきたい。

**ひびの・かつひこ**｜1958年岐阜県生まれ。東京藝術大学美術学部デザイン科卒業後、同大学院修士課程を修了。在学中よりダンボールを使った作品などで注目を浴び、シドニー・ビエンナーレ(1986年)、ヴェネチア・ビエンナーレに(1995年)などに参加。現代社会を反映した作品を発表する。近年は各地で一般参加者とのワークショップなども展開。1995年から東京藝術大学の教壇に立ち、2022年4月より現職。

---

## 「偏業」たる芸術家の可能性

**澤 和樹**
ヴァイオリニスト、
PCAF展開催時は東京藝術大学学長



コロナ禍のなか、東京藝大は他大学同様にオンライン授業対策を採りつつ、実技領域も多いことから対面授業再開も力を注ぎ続けた。他方、学生や卒業生の発表の場が奪われたことに対しては「若手芸術家支援基金」を設立し、広く資金を募る活動も始めた。

日本を代表する企業から個人まで、多くの方がご協力くださった。これまでも個別にはあった支援が手を取り合うこの流れは、さらに民間有志のPCAF実行委員会と東京藝大の連携を実現し、今後の広がりが期待される。

新感染症への対策や$CO_2$の削減など、地球規模の課題解決には、国籍も考え方も異なる人々をひとつにできるアートの力は必ず役立つはずだ。そしてポストコロナの世界にこそ、この力は必要とされるだろう。私自身もアーティストとして、音楽活動を通じて何ができるかを考え続けたいと思う。

アーティストなど芸術に携わる仕事は「偏業」とされるが、そうした人々は世の中が混乱したときこそ力を発揮するといわれる。歴史を紐解いても、ペストの大流行後、ルネッサンス芸術が花開いたように、コロナ後にもそうしたことが起こりえるとの気概を持ち、今回PCAFでご一緒した経済界の方々とも協力しながら前進できればと思っている。

**さわ・かずき**｜1955年和歌山県生まれ。東京藝術大学大学院音楽研究科修了。ロン=ティボー、ヴィエニアフスキ、ミュンヘンなどの国際コンクールに入賞。イザイ・メダル、ボルドー音楽祭金メダル受賞など、国際的に活躍する。2004年、和歌山県文化賞受賞。2015年、英国王立音楽院名誉教授。2016から東京藝術大学学長を務め、2022年4月に6年の任期を終えた。

# 座談会

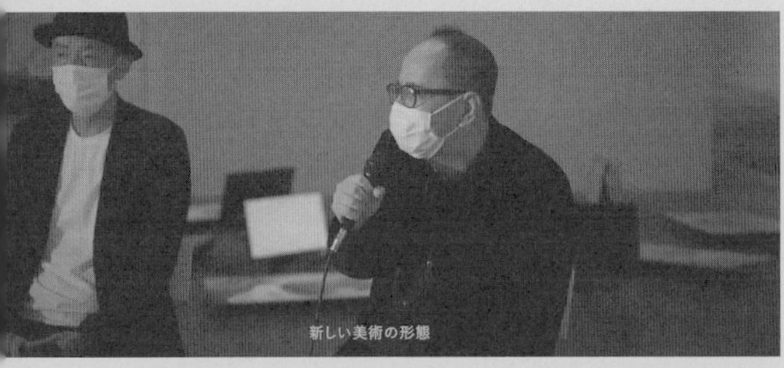
新しい美術の形態

UC
サロンパス
DHC

すごく特殊な経済活動

ポストコロナですよね？

自由からの逃亡のような

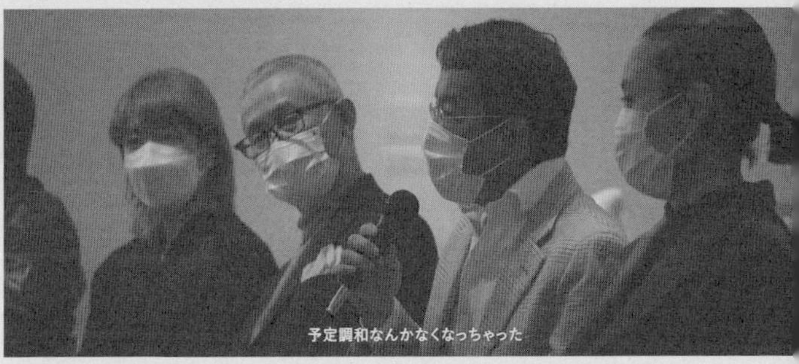

記録映像「『新しい成長』の提起　ポストコロナ社会を創造するアーツプロジェクト」より

# オープニングトーク

2021年11月13日(土) 18：10〜19：30
東京藝術大学大学美術館 PCAF展会場からオンライン配信

［登壇者］
参加作家から：竹内公太、西村雄輔、毛利悠子、エリイ(Chim↑Pom from Smappa!Group)
実行委員から：大林剛郎(株式会社大林組 代表取締役会長)、河邊徹也(株式会社羽田未来総合研究所 専務取締役執行役員)、服部今日子(PHILLIPS Auctioneers 日本代表)、御立尚資(公益財団法人大原美術館 理事)
司会：中村政人(東京藝術大学教授)

## コロナ禍中のアーティストへ届けるもの・アーティストから受け取るもの

**中村**｜PCAFの取り組みが動き出したのは2020年春、コロナの感染拡大が本格化したころです。現・PCAF事務局長の川村喜久さん(一般財団法人川村文化芸術振興財団理事長)の呼びかけで、コロナ禍における作家たちの活動に資する基金を立ち上げることになりました。そして、この活動が今後の社会を考える契機にもなればと、「ポストコロナ」というキーワードを共有しました。今日、その展覧会が始まりました。まずは作家陣からご登壇いただいた3名に作品を解説していただきます(竹内、西村、毛利による作品解説が行われる→本書の該当作家ページ参照)。

**大林**｜毛利さんの作品の背景にもある「これまでのようには移動できない」ことは、コロナがもたらした大きな影響のひとつですね。我々も各地の美術館やアートフェアに行けなくなりました。また、私が関わるアーティスト・イン・レジデンス事業は、若い作家たちを海外に送れなくなりました。そうしたなかで作家に話を聞くと、経済的な大変さだけでなく、発表の場が減ったことで自作をめぐるコミュニケーションの機会を失ったことも問題だという。ならば、そうした場をつくる支援もと考えたのがPCAFです。そしてポストコロナ社会とは、自分たちにとって不自由になった部分を、コロナ禍のなかで得た新たな発見も糧に、これからどのように生かし得るかが勝負だと思います。

**河邊**｜従来、私たちは一定の常識を大事にしながら生活してきた面もあります。しかしコロナによって、移動できない、人と会えないなど、常識が否定されてしまうような事態になりました。そのなかでアーティストの実践を見ると、我々のようなビジネスに従事する人間には持てない新しい考え方を感じます。コロナがなければ出てこなかっただろうという作品も多く、改めて、アーティストの重要性と、彼らが創造したものを我々がどう吸収するかを考えさせられました。

服部｜最初はPCAFがアーティストたちを支援するのだと理解していましたが、今日こうして作品を拝見すると、アーティストは私たちが思う以上に逞しく、ものすごいインプット／アウトプットの力を持っていると感じました。他方、人々にとって自宅で過ごす時間が増えたこともあってか、日本でも以前よりアートへの関心が高まった面もあると思います。特に私の関わるアートマーケットではブームと言えるような動きもあります。

中村｜私も今回、各アーティストの取り組みが形になったものを美術館という豊かな空間で実見する重要性を改めて思いました。またそこでは、作品間で相互に感じられる関係性もあります。たとえば百瀬文さんとChim↑Pom、それぞれの作品では、偶然ながら女性の妊娠に対してのアプローチがとても印象的な対比をなしているとも言えます。遠藤麻衣さんも、ある意味で女性ならではの鋭い視点から新作を発表しています。コロナ禍中に作家が感じたことがこれだけ集うと、時代の繊細なディテールが見え始めるようにも感じました。

御立｜長谷川愛さんの作品は、富士山噴火をテーマにお茶会を開き、その映像を見せてくれるものでした。こうしたパフォーマンスアートのような一面もある作品含め、自分を揺さぶってくれる表現がこれほど集まったのは素晴らしいと感じます。また、西村さんの作品に思ったのは、作家の皆さんが「ここにないもの」も感じて表現していることです。

なお私が理事を務める大原美術館は収入の8割以上が入館料でしたので、長期休館時は本当に大変でした。ただ印象的だったのは、やはり場の力というものがあることです。運営継続のためのクラウドファンディングで多くのご支援をいただけた際にそう思いました。今回のPCAF展会場となった藝大美術館もまた、数々の芸術家たちの卒業制作を収蔵してきたことを含め、独自の場の力があると感じます。

## 偶然・必然の響き合いが示すもの

毛利｜ここしばらくの参加展では遠隔での作品設営が続いたので、実際に展示場所を訪れて他のアーティストや作品と直に出会えるのはとても楽しく、かつ心強かったです。コロナのなかで皆がどういう作品をつくってくるかを一気に観られて、考えていることを肌で実感できました。パンデミックは大きな緊急事態ですが、今回、そのなかで切磋琢磨する多様な方法をめぐる表現が溢れています。いわば創造性がパンデミック状態になっている——そんなことをこの展覧会では感じられると思いました。

中村｜今回は、大きなテーマは設定したうえで、各作家の考え方を重視できればと、あえてキュレーションをしないという考え方をしています。結果、作家たちのアクションはいずれも新鮮で、互いを刺激し合える関係がニュートラルに見えていると実感しています。

　ところでいま、客席にChim↑Pomのエリイさんがいらっしゃいます。突然で恐縮ですが、ここから特別ゲストとして参加いただいてもよいでしょうか。ありがとうございます(エリイによる、Chim↑Pom from Smappa!Group参加作品の解説が行われる→本書の該当作家ページを参照)。

**御立**｜アーティストが「炭鉱のカナリア」にたとえられることがありますね。私たちにとって重要なことを、他より先に感じる力があるという意味だと思います。でも、実は世の中の皆が気付いているけれど気付かないふりをしてきたことがあって、コロナ以降、その多くに目が向いたことは間違いないでしょう。それもあってか、互いに響き合う作品が並んだことに、この展覧会の特別性を感じました。ロンドンの科学産業博物館に、炭鉱のカナリアの蘇生装置というのがあります。鳥が一酸化炭素などを吸い込んでしまったとき、急いで酸素を送るものです。今回のように芸術に苦境が訪れたときも、その蘇生装置があちこちにあると、知らないふりをして放置していた問題に多様な視点から目が向くのではと思いますし、それは個々のアーティストにとってだけでなく、社会的に価値のあることだと考えます。

## 再構築される、私たちの距離・時間・場所



**中村**｜PCAFがアーティストの新たな作品につながるだけでなく、その作品群を通じて私たちが自ら考え、一歩ふみ出せるようなことがあるか、ということですね。皆さんこれについて何かお考えがあるでしょうか。

**大林**｜今後は私たちの時間の使い方も変わるのだろうと思っています。会議などでもリモートで済ませられるものはどんどんそうしていますし、一方でやはり直接に見たり話したりするのが必要なことも多くあります。優れた美術展などはまさにそのひとつですね。こうしたなかで、私たちが時間をどのように使うのかは、間違いなく変化していくでしょう。

**西村**｜私はコロナ後、思いを遠くに馳せることが増えました。会えない、行けないということも増えるなかで、遠くに意識を飛ばす、意識を拡張するようなことを考えますし、それが作品にも現れてきていると思います。

**毛利**｜「ソーシャルディスタンス」は人とふれ合えない点でネガティブな印象もあるけれど、その距離によって見えてくる景色もあると思うのです。たとえば日本古来の距離の測りかたや、「お水取り」「お水送り」(奈良・東大寺と福井・若狭神宮寺を結ぶかたちで行われる神事・祭事)のような行事、あるいは星の動きを見ながら緯度・経度や距離を考えるといったような、遠くへと思いを馳せるということを、今あらためて考えたいと思っているところです。

**竹内**｜今、物理的に隔てられたところの話と、人と人との距離感という2つのことが重

なり合うように対話をしているなと思いました。エリイさんはお子さんがお腹の中にいたときと、生まれてきて以降で、互いの距離感に変化はありましたか。

エリイ｜これは「宇宙の果てが一番近い」みたいなことと一緒ですね。会うことのできない「他《た》」に対する想像力を働かせるということです。生まれた後もずっと側にいるから誰よりも近いけれど、「他」であり「個」です。人との距離って、物理的なことと精神的なことの相互で成り立っていきますね。

服部｜コロナ以前は、グローバライゼーションに絶対的な価値があるとみなされることもあったと思いますが、今日のお話はある意味ローカルだからできる部分もあり、とても良い時間だったと思います。

河邊｜おそらくコロナの収束後も、様々な「当たり前」を自分たちのなかで作り直さなくてはいけないと感じています。そうした目線で皆さんの作品を見せていただいたのは自分への千本ノックのような体験であり、新しい糧になったと思いました。

大林｜今もこの世界は、コロナの影響も受けつつ変化し続けています。たとえば昨今の日本は鎖国してしまったようにもとれるし、様々な国で民族主義が立ち上がってきています。一方でインターネット上ではこれまで以上にグローバルに意見を交換する機会が増えています。両者は対比的でもありますが、私はアートの世界は間違いなく一層グローバルになっていくと思います。ですから今回支援させていただいた作家の皆さんには、ぜひグローバルに活躍していただきたいし、引き続き何かお手伝いができればと思います。

西村｜この展覧会の会期中には様々なイベントもあり、私も関わるものとしては、藝大が小中高生を対象に行う早期教育「リサーチプロジェクト」の関連プログラム(p. 142)もあります。こうした試みも通じて、「コロナ後」に向けたつながりを増やしていけたらと思っています。

竹内｜今は決して完全な「コロナ後」ではなく、ここにある作品も決して一面的ではありません。そうしたなかで見に来ていただいて、隣にいる人のこと、あるいはここにいない人のことを想像してみる、そういう展覧会になるとよいなと思います。

中村｜PCAF設立時のステートメントには、「長期的でサスティナブルな社会構築や、そこにおける公共性と市民性、労働と時間、地域とコミュニティ、幸福観と死生観」というキーワードがあります。これらについても、作家たちのプロジェクトがどのような方向を示しているのか、作品を体験する私たちがそれぞれ読み取ることで、次の一歩を自ら見つけることが重要でしょう。その意味でこの展覧会は、ニュートラルな作り方をしてきたぶん、幅広い知見が得られるのではと思っています。今日は皆さんありがとうございました。

# クロストーク

2021年11月25日(土) 17:30〜18:40
東京藝術大学大学美術館 PCAF展会場からオンライン配信

[登壇者]
選考委員から：藪前知子(東京都現代美術館学芸員*)、鷲田めるろ(十和田市現代美術館館長)
ゲスト：毛利嘉孝(東京藝術大学教授)
司会：中村政人(東京藝術大学教授)

＊当時(2022年4月より東京都美術館学芸員)

## 「新しい成長」「ポストコロナ社会」へのアーティストの応答

**中村**｜最初にPCAFが活動のテーマとし、本展のタイトルにも含まれる言葉「新しい成長」について簡単にお話させてください。今回、世界中で感染が拡大した背景には、経済原理主義的な成長やグローバル化の問題もあったと考えられます。またこれを受けて、サスティナブルな社会の構築や、そこにおける公共性と市民性、労働と時間、地域とコミュニティ、幸福観や生死観など、今後考えるべき新しい視点が示唆されたとも思います。そのとき、アーティストの発想がヒントになるのではということが、このテーマにつながっています。

　それではまず、ご登壇者各位が本展にどんな印象を持ったのか、お聞かせ願えますか。

**毛利**｜次の時代を考えるうえで予見的な作品が集まったと感じます。コロナ禍で移動や接触が制限され、美術が社会のなかでいかに展開できるかを再考すべき時代になったと言えるでしょう。ただ、そうした価値観の転換期に、コロナが象徴的に現れたという見方もあると思います。今回の参加作家も、変わりつつあった人たちが、コロナで決定的な変化をしたのではという印象があります。

　たとえばSIDE COREは以前からストリートでラディカルな活動を続けてきました。それが今回は、もはや人が消えた街で、人ではない何かがうごめく様子を映像で描き出しています。またサエボーグの作品では、人間が巣食う世界とは異なる、少しダークなユートピアを、人間以外の生命体がつくっている。コロナは、私たちが人間中心に進めてきた社会を、人間以外のものが覆い尽くし変えていくこともあると、改めて思い出させたとも感じます。

**鷲田**｜事前の選考時には、表現様式を確立した作家より、状況に対して柔軟に応答できる作家を選びたいと考えました。今日、展覧会を見て、最も予想外の応答をしていたのが百瀬文さんでした。女性の身体は誰のものかという問題と、国家によるコントロールという問題をつなげる視点に刺激を受けました。私もコロナ禍で十和田市現代美術館が二度の閉館を余儀なくされ、行政や国家による管理と、個人の自由な行動との関係を考えさせられましたが、それをこうした女性の問題とつなげる視点が印象的でした。

藪前｜自身の従来からのテーマに取り組んだ作家の表現にも、コロナの影響は現れていると感じます。以前から日記をテーマにしてきた青柳菜摘さんは、今回は集合的な他者の声を、Alexaを介して召喚する新作をつくっています。遠藤麻衣さんは自身の「個」の身体を公共空間に晒す行為とその摩擦について、今回は架空の裁判という形で提示しています。他方、明確にコロナへ応答した作家として、長谷川愛さんの富士山噴火を扱った作品も興味深いものです。私たちは迫り来る様々な危機を直視せず過ごしてきた面があると思いますが、それがコロナ禍で可視化され、未来が見えてしまったような感覚もあります。この作品はそうしたことを、ユーモアも携えて提示しています。

鷲田｜この状況下で急遽取り組まざるをえなかった作品や、新たな挑戦となる作品ゆえの粗削りな部分もあると思いますが、そのなかで巧みに展示をつくり上げたと感じたのはChim↑Pomです。ドキュメント映像と、映像に登場する巨大バルーンの実物、そしてこのバルーンが月のように浮かぶ屋外の記録写真からなる構成で、別の場所で起きたことを展示室で見せる手法として、よく練られていると感じます。



毛利｜竹内公太さんの作品も印象的でした。背景には福島の原発事故の問題もあり、同時にリヴァイアサン的な国家権力がどう広がっていくかという問題があります。たとえばコロナワクチンなどの医療がどのように普及し、そのとき国の権力がどう浸透していくのか、また人々はどう反応していくのかということを、すごく考えているのではと想像しました。

藪前｜東日本大震災時と福島第一原発の災害は、不可視の脅威が人々の分断を生んでしまうということにアーティストたちの問題意識があったと思います。コロナもまた不可視のウィルスですが、確率論的な問題として扱われたりと、見えないものをいかに現実の脅威と感じられるかどうか、その想像力を試されていたともいえるかもしれません。

中村｜私は西村雄輔さんの作品にもふれておきたいです。彼は私たちの精神のあり方を問う作品をつくっていて、今回は美術館のそばで、野外に作品を展示しました。群馬の川の上流から小さな社を流し、それを少しずつ成長させながら東京にたどり着かせる、というものです。場との対話から感じる精神性を紡ぎ、つないでいくアプローチが興味深いと感じます。

## コロナ禍がもたらしたアートや社会への影響

鷲田｜十和田市現代美術館では前述の閉館もあり、去年（2020年）の入場者数は例年の約半分でした。ただ、当館は常設展がメインゆえ、これを見に一定数のお客さまが来てくださったことで、他館と比べ影響は小さかったとも思います。コロナ禍を通じて、美術館にとってのコレクションの重要性が見直されていくのではと感じます。

藪前｜東京都現代美術館も2020年度は2回休館しました。ただ、じつは入場者はとても多かったのですね。人々がこうした状況でも文化的経験を欲するなか、美術館は比較的、密になりにくい安全な場とみなされたのかもしれません。しかし文化的なリソースの不均衡が強まったのも事実で、私の担当した石岡瑛子展は緊急事態宣言中の開催となったため、都外の方には観ていただけない状況でした。後にウェブサイトでアーカイブを公開しましたが、こうした問題を改めて考える契機にもなったと思います。他方、アーティストと話していると悲観ばかりではなく、閉じこもることで制作に集中できたと言う人もいました。自分一人でできることに立ち帰った作家もいるでしょうし、そのようにして生まれた作品を、私たちはこれから見ることができるのではとも思います。

毛利｜私の研究室ではコロナが音楽や美術の諸活動にもたらした影響を調査しており、そこからは二極化が進む実態が窺えます。音楽ではとくにライブハウスが、コロナ禍初期のクラスター発生の影響もあって苦境に陥りました。これに比べると美術館はその魅力が再発見された感もあり、ギャラリーも売上では健闘している部分もあります。一方、観光と結びついた地域型プロジェクトは多くが中止になり、実施しても人が来ないなど厳しい状況でした。インフラを支える人々の仕事も減り、美術の生態系全体が痛んだのは確かだと感じます。



中村｜私が統括ディレクターを務めるアーツ千代田3331でもイベントが激減し、収入面でも経営問題が生じました。メンバーにクリエイターが多いため、改めて自分たちにやれることで生きていこうと、映像やデザイン、展覧会を手がけるなどし、今は仕事が増えています。そうした意味で、生きる方向を改めて本気で模索したことは大きかったです。

　作家については、とくに今30代前後の人たちが、以前のように芸術祭関連のイベントなどへ呼ばれる機会がなくなったとも聞きます。私自身は自分たちで立ち上げた東京ビエンナーレを緊急事態宣言のなか開催しました。地域の生活や文脈に寄り添った優れた試みが集まりましたが、経済面では苦しく、芸術祭のあり方は今後さらに問われていくと思います。

毛利｜展覧会づくりの現場でも、外部からは見えないインフラは大きく変化しました。作家から輸送された作品を前に、Zoomなどの遠隔コミュニケーションで「こうですか?」と設営していく。これは大学でも同じで、オンラインの会議や授業が増加しました。海外のゲストスピーカーに話してもらう機会が増えたなど良い変化もあった一方、各種インフラの変容は大きなマイナスも伴っているはずで、それぞれの影響は今後出てくる気がします。

**藪前**｜参加作家の毛利悠子さんは、去年1年で30本ほど海外展に参加し、しかし現場にはほとんど行けなかったそうです。その場所を実感しながらつくるアーティストにとって、それが叶わないなかでも展示を実現していった体験は、確実に今後の作品にも影響するのではと想像します。そこにも空間や距離の感覚は関わるでしょう。

**鷲田**｜あるアーティストのスタジオを訪ねたとき、展覧会のためではなく、コレクターに販売する作品を旺盛に制作していました。こうした作家はコロナに関係なく制作を続けています。経済界でも株価は回復してきていて、各所でデジタル化が促進されるなか、IT業界の成功者が美術作品を集める傾向も進んでいます。格差を広げる動きともいえますが、これもコロナ以降の一面ではあるかと思います。

## PCAFへの期待と展望

**藪前**｜コロナ禍を通じて、美術への助成が活性化したことはポジティブにとらえています。美術の営みは特殊な経済活動でもあり、社会が作家の活動を支えていくべきことが再確認されたのではと考えています。ですからPCAFの試みもありがたく、社会と関わりながら活動する作家たちの試みを引き出す支援の動きが、さらに生まれることを期待します。

**鷲田**｜コロナ禍によって、アーティストも美術館も、従来のような活動は難しくなりました。それぞれの対応としては、今日お話したような戦略もありえるでしょう。しかし、そこで必要以上に影響を受け過ぎず活動を継続できるよう、とくにダメージを受けやすいところに支援がなされる意義は大きいと思います。

**毛利**｜東京藝大は世間からみると最後の秘境のような謎めいた大学かと思いますが、美術のありかたも大きく変化するなか、今回のように多様な方々と関わりながら、いかに学外と協働できるかは重要なテーマです。これを契機に今後も色々なことができたらと思います。

**中村**｜今回、藝大の学生がインターンシップで作家の制作現場に入り、それが単位として認定される仕組みも初めて実現できました。今後も教育研究機関として学外とも積極的に関係をつくり、ともに現状に応答していく必要があるのではと思いました。そしてPCAFのあり方、作家との関わり方も含め、今後この試みをさらに展開できたらと思います。

# クロージングトーク

2021年11月28日(日) 18:10〜19:30
東京藝術大学大学美術館 PCAF展会場からオンライン配信

[登壇者]
参加作家から：青柳菜摘、布施琳太郎、柳瀬安里
実行委員会から：遠山正道（株式会社 The Chain Museum 代表取締役社長）、松葉邦彦（株式会社 TYRANT 代表取締役・一級建築士）、岡崎奈美子（Shinwa Wise Holdings株式会社 取締役）
コメント（実行委員会）：浅生亜也（株式会社サヴィーコレクティブ 代表取締役）、木越純（バンク・オブ・アメリカ・エヌ・エイ東京支店 副会長）、倉田陽一郎（Shinwa Wise Holdings株式会社 代表取締役社長）、藤波克之（FSX株式会社 代表取締役）
司会：毛利嘉孝（東京藝術大学教授）

## 「わかりかけて、またわからない」ものに誘われて

毛利｜本展は短い会期ながら多数の方が来場し、様々なコメントをいただくこともできました。このクロージングトークでは参加作家と実行委員から3名ずつご登壇いただきます。まずは作家陣に作品を解説していただきましょう（青柳、布施、柳瀬による解説が行われる→本書の該当作家ページ参照）。

　続いて実行委員の方々から自己紹介と、展覧会のご感想を伺えますか。

遠山｜もともとサラリーマンで、25年前に自分の絵の個展をして「自ら発想して自ら届ける」ことの面白みと意義を強く感じ、スープ専門店のSoup Stock Tokyoで起業しました。アートに関しては自分でつくること、コレクター的なこと、またプラットホームづくりもしています。

　今日はこの展覧会の来場者の多さに驚き、この2年ほど中止が続いた芸術祭などの場を愛する人が戻ってきたような懐かしさも感じました。内容については、たとえば池田剛介さんの作品をみると、コロナ以降に浸透した衝立が世界規模のインスタレーションにも思えてきます。屏風状の作品空間を進むと、内部にも平面作品があって不思議を感じたり、どこか安心したり。そうした「わかりかけて、またわからない」楽しさに誘われる感じでした。

松葉｜東京藝大の建築修士を修了後、2008年から建築設計事務所をやっています。アートに関しては、ギャラリーで絵画を購入して集め、他のコレクターと交流を持つなどして楽しんできました。この展覧会については最初、解説付きのハンドアウトに気付かず鑑賞した結果、「これは何なのだろう？」と、何か突き放された感もありました。また、ポストコロナ社会を考えると言ってもまだコロナ渦中で、今日のトークも「まだこの先はわからないね」となるのかと思っていまし

た。しかし作家さんたちに作品を説明していただくと、そういうことだったのかと理解できて、新鮮な感覚を持ちました。

岡崎｜Shinwa Wise Holdingsと、子会社のShinwa Auctionというアートオークション会社でも取締役をしています。父が近代美術のコレクターで、私も気に入った作品を地道に買っています。今回の作品群には本当に驚きました。コロナで分断された社会を描いた作品や、コロナ前後で変わらない現実もあることをテーマにした作品、そしてコロナをテーマに様々なことを描こうとする作品があると感じます。柳瀬さんの作品に色々と考えさせられ、分断的状況を扱う百瀬文さんの作品、Alexaを使った青柳菜摘さんの作品など、いずれも新鮮で迫力があり、対峙する側も覚悟がいると感じます。

## まだ存在しない未来や、新しい価値交換を想像する

岡崎｜私たちは、お金を稼いで生きることを、最重要とは言わずとも常に考えています。アーティストも、自らの経験なしに描けない作品をつくる人もいれば、「売れる作品」について考える人もいるのかと思います。皆さんはどんな思いで作品をつくっているのでしょう。

布施｜美術作品が価格以外で全うに評価される方法を、僕らは随分前に失ってしまったような感覚があります。大学や今回のようなプロジェクトが、経済とは別の価値を判断する権威として成立してくれるといいなと思います。そしてアーティストは、複数の価値基準がある社会で、最大限に頭を使いながら物事とふれ合い、様々な場に赴いてつくる仕事だと考えます。同時に、自作について「これが売れるのか／売れないのか」という経験も、単に稼ぐこと以上に面白いなと思っています。



青柳｜昨春（2020年）の緊急事態宣言時、多くの作家がネットでの作品公開を模索し、映像作品を次々と無料公開するなどしました。私もそうした形で作品発表をしつつも、露出させることがよいことなのかは考え続けていました。そんななか、アーティストの佐藤朋子と、〈往復朗読〉と題して毎日Twitter上で本を朗読し合う試みを始めました。これは作品ではなくプロジェクトですが、今回のキーワードにもつながるのではないでしょうか。「ポストコロナ」という現実感がない言葉も、SFのようにあるかどうかわからない未来について想像力を働かせられる。ただ、それでも私がこの言葉にもやもやするのは、アーティストの多くは「今」を必死に生きているからかなと思いました。

遠山｜たしかに、作品が売れるかどうかは表現活動の一部でしかなく、とはいえ日々暮らしていく必要もある。私が今取り組んでいる「ArtSticker」は、応援したいアーティストにネット上から「投げ銭」ができる仕組みです。アートの表現メディアも多様化しており、今後は作品売買だけでない価値交換が生まれる

チャンスがありそうな気がしています。

松葉｜交流のある作家から「大学はアーティストが食べていくための術は教えてくれない」と聞くこともあります。芸術教育機関でビジネスを教える必要はないとの考え方もある一方、作家に必要な税金の知識などを教えることは、可能性としてはあるのかなと思いました。

布施｜僕は作家活動の全てを労働と位置付けると、できなくなることも増えるのではと思うことがあります。むしろ稼ぐことやお金の処理は、それぞれ粛々とやれたらと。歴史的にも、アートが在る瞬間というのは、社会が貯め込んだ資産をある意味「無駄遣い」するような祝祭的瞬間にこそあったと思うのです。税金のことはググるか、専門家に任せればよい。それに自分の生活と社会の関係のつくり方自体が創造的であってよいし、それこそ青柳さんは本屋さんもやっていますね。

青柳｜はい。大学を出てすぐに数名で「コ本や honkbooks」を始めました。表向きは本屋ですが、さまざまな用途がある拠点です。アーティスト自身、社会のなかで活動している。ともすれば環境が外側から決定されてしまう状況で、どう振る舞うかは考えていくべきだと思っています。

遠山｜現代アートは茶道のようだとも思います。いわば茶を入れて飲むだけのところから、こだわりや様式を掘り下げた先に、世の中の価値として通じるものになる。たとえば柳瀬さんの作品は、背景がわかると膝を打つ感じがあります。アートが持つ、気付きを形にして届けるアイデアとその手間の価値が、社会と絡まる方法をもっと発見できたら面白いですね。

柳瀬｜今のところ私にとっては、作品をつくることは自分がものを考えるための方法です。逆に、作品をつくらなければ、どうやってものを考えればいいのかわからないです。

布施｜必ずしも既存の社会システムのなかで立ち位置を探す必要もないと思いますし、経済のシステム自体を考える、という可能性を捨ててはもったいないという感覚も僕にはあります。

松葉｜作家の御三方に伺います。ご自身の作品について、鑑賞者の人たちに理解されたいのでしょうか。

青柳｜理解されたいですし、それ以上に何か考えるきっかけになればと思います。

柳瀬｜私もされたいし、そのために自分にできることはまだあると思っています。理解しなくてもいいよ、とは全く思いません。

布施｜作品によりますね。もしかしたら作家も作品名も知らないまま、ネットに写真を上げてくれるだけでも、ひとつの理解のかたちかもしれません。鑑賞後、別の場でその作品と紐付いた文章などにふれて、何か腑に落ちる可能性があればいいなとも思います。それに僕はアートの持つパワーは、何かをつなげる方向ではなく、バラバラにする力だと考えます。作品に人が集まるとき、新しい仕方で人と人を分け、内と外を作る力があると思うのです。同時に、そこでの体験は、各人の属性を忘れられる時間でもあってほしいです。

## 出会うことで立ち止まり・気付き・想像する

岡崎｜客席にいる実行委員からも、一言いただくのはいかがでしょう。

木越｜私は長年金融に携わってきましたが、近年閉塞感のある金融の世界をアートの力で元気にできないかとの思いがあり、美大の大学院に入り直し研究してきました。今回PCAFに関わり、周囲にもこの展覧会を勧めたところ、見たことのない世界だ、感動したなど、ビジネスで頑張る若者とアートの世界の橋渡しができたのではと感じました。今回の試みはそうした良いきっかけにもなったと思います。

倉田｜百瀬さんの作品からは、コロナ禍での分断、孤独、不安がネットで分散化され、しかし個々でつながっていくことを感じました。ポストコロナの新しい成長というテーマについても、アーティストは私たちとは別の何かを見ていると感じ、印象的でした。

岡崎｜アートのあり方も変わっていくと思いますが、アーティストには次の世界が見えているところもあると思うので、それを私たちに見せてくださるのではと期待しています。

藤波｜何が大事で何が正しいのかわからない混沌の時代ですが、本展を見て、自分にとってこの作品が美しいと思える心、また(社会事象などもふくめ)これは良い、これは良くないと自分で判断することは大事だと思いました。様々な作品に出会い、権力やフェミニズムなど色々なことを考えました。改めて皆さんにも色々と伺いながら、学びたいと思います。

毛利｜実行委員の浅生さんもメッセージをくださいました。「平等に訪れたコロナ禍で我々も立ち止まったつもりでいましたが、常日頃、実業の世界にいるために、どうしても前しか見ない傾向にあります。このような立ち止まり方があるのか、これほどに違う視点と視座があるものかと、興味深かったです」。

松葉｜僕は今日、皆さんと「理解」のお話しができたのがよかったです。アーティストのなかには「理解されたくない」と言う人もいそうだと思いますが、きちんと制作されてきた方たちは、観る側とのコミュニケーションや、作品が社会にどう位置付けられていくかを重視しているとわかり、安心しました。

毛利｜従来、アーティストとは孤高の人で、ひたすら自身と対話する印象もありました。実際そうした優れた作家もいますが、今回はそれとはまた異なる作家も多かったと感じます。

柳瀬｜「ポストコロナ」「新しい成長」という言葉には、作家側も、展覧会を見に来た方も、それは何だろうと疑問や違和感をもった人は多いと思います。それが面白いし、今回の試みの核になるのかと思いました。そして、アーティストは孤高の人という言葉がありましたが、私のポケットの中には、色々な人、言葉、作品がいっぱい入っています。

毛利｜「新しい成長」は考えてみると奇妙な言葉ですが、それが何かを考え直す機会にもなるでしょう。SFの話もあったように、皆が各々の想像力でこの展示をつくりあげています。今日はここで実行委員ともお話できたよい機会でしたし、今度もこうしたことが行えたらと思います。

# 資料編

# PCAFのあらまし

## 中村 政人

PCAFプロジェクト総合監修、東京藝術大学美術学部教授

始まりは2020年春、川村喜久さん(一般財団法人川村文化芸術振興財団 理事長)からの一本の電話だった。「アーティストは、コロナ禍において制作・発表の機会を奪われている。何か支援をしたいが内容を考えてくれないか」という主旨であった。3.11の時もそうだったが、支援のフレームをつくる際は、お金の流れと活動内容を明快にすることが重要だ。今回は、純粋で見返りを求めない川村さんたちの寄付金と支援活動が、公益性も持つメッセージとなるフレームを設計する必要があった。

そこでまず実行委員会をつくり、寄付金を集める母体と、その会計処理の流れを考えた。東京藝術大学の澤和樹学長(当時)に相談したところ、日本の芸術界にとって有効なメッセージとなるなら藝大も協働しようと仰っていただいた。藝大基金を活用した体制の実現は、寄付金が全額控除対象となるため支援者側のメリットも大きい。有志の実行委員会内とその他で1975万円の寄付金が、さらにクラウドファンディングでは約522万円が集まった。藝大からは大学美術館の無償貸与と、私を含む教員等によるプロボノでの企画制作支援も行った。広報物印刷やウェブサイト制作に無償で協力してくださる企業の存在も、活動を支えるフレームとなった。

対象アーティストは実行委員からの推薦と選考委員による選考会で決定した。作品プロポーザル費30万円と、展覧会参加を前提に制作支援費70万円が各作家に用意された。また、今回のために編成された事務局の動きは、上述の各種調整に加え、広報、企画制作、展覧会および関連する実践的教育プログラム、さらにドキュメント映像制作や本書の出版等、かなりのボリュームとなった。当初2021年6月開催とした展覧会は、緊急事態宣言延長を受けて急遽延期されたが、各所調整により同年11月に実現。延期を経て作家1名が辞退し、16組で開催された。私自身アーティストである立場から心がけたのは、アーティストとその表現内容にバイアスがかからない「個の表現」として成立させること。また各実行委員の想いや各作品のメッセージが、展覧会、映像、書籍で忖度なく発信されるようにすることであった。

起点となった川村さんの想いに多くの賛同者が集い、コロナ後の社会を考え、想像するプロジェクトとして展開したこと。始まりをつくるビジョンと、多くの人のアクションが連鎖して大きな動きになったことを、しっかりと留めておきたい。

# PCAFの体制

※肩書き・所属は2021年当時のもの

## PCAF実行委員会

[発起人／役員]

井上智治　一般財団法人カルチャー・ヴィジョン・ジャパン代表理事

大林剛郎　株式会社大林組 代表取締役会長

須藤 潮　吉野石膏株式会社 代表取締役副社長、公益財団法人吉野石膏美術振興財団 評議員

遠山正道　株式会社 The Chain Museum 代表取締役社長

御立尚資　公益財団法人大原美術館 理事

山本誠一郎　Y-Labs 株式会社 代表取締役

川村喜久（事務局長）　一般財団法人川村文化芸術振興財団 理事長

[発起人]

浅生亜也　株式会社サヴィーコレクティブ 代表取締役

安東泰志　ニューホライズンキャピタル株式会社 代表取締役会長

大西 洋　株式会社羽田未来総合研究所 代表取締役社長

木越 純　バンク・オブ・アメリカ・エヌ・エイ東京支店 副会長

倉田陽一郎　Shinwa Wise Holdings 株式会社 代表取締役社長

小柳敦子　公益財団法人小田原文化財団 代表理事

寺田航平　寺田倉庫株式会社 代表取締役社長

服部今日子　PHILLIPS Auctioneers 日本代表

藤波克之　FSX株式会社 代表取締役

松葉邦彦　株式会社 TYRANT 代表取締役／一級建築士

水口 翼　サイブリッジグループ株式会社 代表取締役会長兼CEO

森 佳子　森美術館 理事長

山中 武　株式会社マルニ木工 代表取締役社長

[一般会員]

岡崎奈美子　Shinwa Wise Holdings 株式会社 取締役

和田淳子　株式会社平河工業社 代表取締役社長

[監査]

樋田大介　弁護士

## 東京藝術大学

澤 和樹　学長

日比野克彦　美術学部長

[プロジェクト総合監修]

中村政人　美術学部教授

[藝大基金]

神永 彰　社会連携課長

松戸健一　社会連携課 渉外・産学共創室 渉外企画係長／産学共創係長

[美術と教育 リサーチプロジェクト（連携事業）]

伊藤達矢　社会連携センター特任准教授

西村雄輔　美術学部准教授

伊東五津美、近藤美智子、横尾拓郎、加来 悠

## 選考委員

椹木野衣　美術評論家、多摩美術大学教授

藪前知子　東京都現代美術館学芸員

鷲田めるろ　十和田市現代美術館館長

## PCAF事務局

宍戸遊美　一般社団法人非営利芸術活動団体コマンドN

川越健太、竹村麗良、林頌介、福島恵子、赤澤玉奈（インターン）、高野実紅（インターン）

[アートディレクション]

佐藤直樹　株式会社アジール

[制作管理サポート]

彦根延代　アーツ千代田3331

田名邉元　アーツ千代田3331

[ウェブサイト制作]

富山隆太　サイブリッジグループ株式会社

[ウェブサイト等編集]

内田伸一

[クラウドファンディング キュレーター]

小柳聡美　READYFOR株式会社

[展覧会施工]

日沼智之、村井啓哲、相澤和広、田中健吾

[展覧会記録写真]

長谷川 銀

[展覧会記録映像]

河内 彰

[広報物印刷]

株式会社平河工業社

# 出展作品リスト

## 青柳菜摘

家で待つ君のための暦物語

2021年

映像インスタレーション

原文(英語):Amazon Mechanical Turk Workers
和訳:小磯洋光
プロデュース:和田信太郎
撮影:飯岡幸子
アプリ開発(Alexa):ReeeznD
映像プログラミング:山形一生
整音:小宮知久
制作協力:佐藤朋子、村田萌菜、BRÜCKE coffee
協力:東京藝術大学大学院映像研究科、RAM Association

## 池田剛介

衝立、屏風、パンデミック

2021年

インスタレーション

## 遠藤麻衣

現代に転生したマリリンを
僕は弁護《まも》りたい

2021年

架空の裁判

訴状及び書面等制作:中村朋暉(法科大学院卒業生)、久道瑛未(法科大学院卒業生)、松野泰知(法科大学院卒業生)
プロジェクトマネジメント・リサーチアシスタント:見目はる香
法律監修:谷口太規(弁護士)、曽我部真裕(京都大学大学院法学研究科教授[憲法・情報法])
協力:成相 肇(東京国立近代美術館主任研究員)
百瀬 文(イマジナリーネームプランナー)
蘆立藍子、石井勝哉、中澤琴音、平林菜摘(京都大学法学部生)
飯山由貴、丹羽良徳(アーティスト)

## 大和田 俊

2021年〜

2chサウンド
90分

協力:室井良輔、半田航輝、株式会社まちづクリエイティブ、(株)長谷川、木村建造(株)

## 小泉明郎

自由の呪文

2021年

5チャンネルビデオ(15分)、催眠感受性を測るアンケートの結果、鏡

## SIDE CORE

EVERYDAY HOLIDAY SQUAD
《empty spring》

2020年

シングルチャンネルビデオ
5分27秒

## サエボーグ

プートピア

2021年

ラテックス

公開パフォーマンス
2021年11月27日(土)15:30〜15:50
東京藝術大学大学美術館 本館
音楽:DJ TKD
パフォーマー:露木 妙、前田もにか、ゆずこ
スタッフ:長尾優希

## 竹内公太

文書1:王冠と身体(第2版)

2019〜2021年

紙にレーザープリント、写真

## Chim↑Pom from Smappa!Group

はい、こんにちは

2020〜2021年

インスタレーション（バルーン[軟質塩ビシート、塩化ビニル樹脂系塗料]、ミクストメディア、写真[ラムダプリント、74.67×112cm、撮影：井手康郎]）

制作協力：涌井智仁

## 中村裕太

いかものの問題！

2021年

インスタレーション（陶、土、紙、木）
今和次郎《工芸各種図案（1）》、《工芸各種図案（6）》1912年、東京藝術大学大学美術館蔵

## 西村雄輔

地の精神

2021年

木材、蜂蜜、映像（11分57秒）

## 長谷川 愛

富士山噴火茶席

2021年

映像、茶道具、キャンプ用品、カード、筆記用具、インスタレーション、パフォーマンス

## 布施 琳太郎

僕のいない教室に
射した言葉の水面をすべる船

2021年

ニューラルエンジンによる画像生成を用いたフレーム補間によって0.1秒（2フレーム）の動画ファイルを引き伸ばした複数の動画ファイル、画像ファイル、液晶ディスプレイ、メディアプレイヤーなど

## 毛利悠子

Untitled (Voice and 9 Receivers)

2021年

モーター、スピーカー、三脚、紙、コンピュータ、トランスミッター、ケーブル、磁石、オーディオアンプ、ラジオ

声・メロディカ：つむぎね
録音・マスタリング：大城真
エンジニアリング：nomena
スタッフ：東出菜代、敷根功士朗

## 百瀬 文

Flos Pavonis

2021年

シングルチャンネルビデオ
30分

## 柳瀬安里

そこに、なにが映っていても
目に見えない

2020〜2021年

布、アセトン、手紙、モニター

# PCAF展覧会 概要

展覧会名　「新しい成長」の提起
ポストコロナ社会を創造するアーツプロジェクト
New ways to grow: Artists envision a post-Covid world

会　　期　2021年11月13日(土)〜11月28日(日)　※11月22日(月)休館

会　　場　東京藝術大学大学美術館本館 3F展示室3・4、1Fエントランス・ホール、美術学部グラウンド(東京都台東区上野公園12-8)

観 覧 料　無料

主　　催　PCAF実行委員会、東京藝術大学

機材協力　キヤノンマーケティングジャパン株式会社

参加アーティスト(16組)

青柳菜摘、池田剛介、遠藤麻衣、大和田俊、小泉明郎、SIDE CORE、サエボーグ、竹内公太、Chim↑Pom from Smappa!Group、中村裕太、西村雄輔、長谷川愛、布施琳太郎、毛利悠子、百瀬文、柳瀬安里

会期中の公開イベント

11月13日(土) オープニングトーク(18:10〜19:30／会場からライブ配信)
11月25日(木) クロストーク(17:30〜18:40／会場からライブ配信)
11月27日(土) サエボーグ パフォーマンス(15:30〜15:50／展覧会場)
11月28日(日) クロージングトーク(18:10〜19:30／会場からライブ配信)

※本展は当初2021年6月に開催予定でしたが、緊急事態宣言の延期を受け、やむなく上記日程へ延期して開催されました。これに伴う再調整のなかで、参加予定であったアーティストの雨宮庸介氏は諸事情から不参加となりました。大変残念ではありますが、最後まで可能性を検討してくださった雨宮氏に深謝致します。また事前のワークショップなど氏の関連活動にご参加いただいた皆様にも御礼申し上げます。

# 謝辞


ポストコロナ・アーツ基金の活動にご協力をいただきました全ての方々に、心より御礼申し上げます(順不同、敬称略)。

東京藝術大学大学美術館、キヤノンマーケティングジャパン株式会社

ANOMALY、無人島プロダクション、SNOW Contemporary

熊澤 弘、今 美佐子、相馬千秋、田中 豊、福住 廉、堀 宜雄、パメラ・ミキ、茂木健一郎

藝大基金を通じてご寄付をいただいた皆様

## クラウドファンディングご支援者

※以下のお名前は、ご支援時にお名前の掲載をご了承いただいた方々のものです。これ以外の方々も含む全てのご支援者に御礼申し上げます。

**[PCAFゴールドサポーター]**
LAETOLI

**[PCAFシルバーサポーター]**
荻野いづみ、CHUMS チャムス

**[PCAF ブロンズサポーター]**
坂野俊哉 尚子、清水祐孝、TARO NASU、Seiichiro Yamamoto、有泉池秋、Tanaka Hitoshi、茂木本家美術館館長 茂木潤一、小林直樹、丸の内ギャラリー、下村今日子、福田勝樹、木越 純、堀内 勉、YUKIHIRO HOSHI

**[PCAFサポーター(+図録)]**
株式会社S-refined 笹川、朝倉啓友、炭谷太郎、小山登美夫

**[PCAFサポーター(+ギャラリートーク)]**
田中順子、松永明彦、山中 武、柏木茂介、三駄寛之、竹本亜紀、三尾 徹、Yuri Lin、芹澤ゆう、塚田教予、小西利行、東 宣行、株式会社SAKURUG 遠藤洋之、高井英樹、アイディール・リーダーズ株式会社 代表取締役 永井恒男、長谷川 攝

**[PCAF サポーター(+オンラインイベント)]**
松前博恵、田中祐介、玉井智子、安部義彦、KYAF 五十嵐奈穂子、株式会社清壽、笹川直子、鵜沼 篤

**[PCAF サポーター(スタンダード)]**
Hitomi Haga、Kyoko Mori、幸田フミ、川崎聖子、株式会社関西電業社 赤畠貞宏、NetReal 株式会社、株式会社グレイスグループ 代表取締役 勝見祐幸、QUEL | Takushi Shiraishi、今村 憲、尾崎 博、fujimoto yoshihiro、藤波祐子、Kouichi Okada、MASAAKI SUMIMOTO、一久保基子、I_to_I、田中浩一朗、Blastyoshi、HIROKO OTSUKI、岩崎かおり、ゆきちゃん、長谷川 攝、岡部あおみ、石橋、宇都出雅巳、奥村年子、長江洋一、柏木菜々子、志立正嗣、筑紫みずえ、高橋幸司、パパジアン裕子、味岡宗靖、嫁カッパ、Naoki Tamaki、依知川伸一、鈴木幹一、田辺奈津、Akiko Hashimoto、竹村聡一郎

印刷・製本ご協力　株式会社平河工業社

本書の印刷・製本、および展覧会「『新しい成長』の提起　ポストコロナ社会を創造するアーツプロジェクト」のポスター、フライヤー等広報物の印刷においては、株式会社平河工業社の全面的なご協力を賜りました。厚く御礼申し上げます。

ポストコロナと現代アート
16組のアーティストが提起するビジョン

2022年7月20日　第1刷発行

編者：ポストコロナ・アーツ基金
編集協力：内田伸一
制作：三上真由（株式会社 左右社）
撮影：長谷川銀（pp.012-014, 016-054, 060-063, 068-077, 078下, 080-081, 092-094, 096-101, 102上, 104-125, 128-137）、井出康郎（p.078上）、表恒匡（pp.084-089）、川越健太（pp.064-065, 142-143）

発行者：小柳 学
発行所：株式会社 左右社
東京都渋谷区千駄ヶ谷3-55-12 ヴィラパルテノンB1
Tel：03-5786-6030　Fax：03-5786-6032
http://www.sayusha.com/

デザイン：菊地昌隆（Asyl / Ball Design）
表紙・帯写真：長谷川銀、表恒匡（中村裕太作品）

印刷・製本：株式会社平河工業社


Printed in Japan
ISBN978-4-86528-092-0